D1509269

La bibliothèque Gallimard

Voltaire

Candide

ou l'Optimisme

Lecture accompagnée par
Yves Stalloni
agrégé de lettres,
professeur de première supérieure
au lycée Dumont D'Urville à Toulon

La bibliothèque Gallimard

Florilège

« Il avait le jugement assez droit, avec l'esprit le plus simple ; c'est, je crois, pour cette raison qu'on le nommait Candide. »

« Rien n'était si beau, si leste, si brillant, si bien ordonné que les deux armées. »

« Hélas ! dit l'autre, c'est l'amour : l'amour, le consolateur du genre humain, le conservateur de l'univers, l'âme de tous les êtres sensibles. »

« Si c'est ici le meilleur des mondes possibles, que sont donc les autres ? »

« Qu'est-ce que l'optimisme ? disait Cacambo. – Hélas ! dit Candide. C'est la rage de soutenir que tout est bien quand on est mal. »

« C'est à ce prix que vous mangez du sucre en Europe. »

« Mais à quelle fin ce monde a-t-il été formé ? dit Candide. – Pour nous faire enrager, dit Martin. »

« Travaillons sans raisonner, dit Martin ; c'est le seul moyen de rendre la vie supportable. »

« Le travail éloigne de nous trois grands maux, l'ennui, le vice et le besoin. »

« Cela est bien dit, répondit Candide, mais il faut cultiver notre jardin. »

Ouvertures

Né six ans avant le début du XVIII^e siècle, mort onze ans avant la Révolution de 1789, Voltaire, plus que tout autre écrivain de son temps, incarne l'esprit des Lumières*. En lui se rencontre ce mélange d'impertinence et de profondeur, de gaieté et de sévérité, de foi en de nouvelles valeurs – que sont le progrès, la liberté, le bonheur, la tolérance – et de refus des débordements et des préjugés comme la guerre, le fanatisme, l'obscurantisme. Auteur d'une œuvre gigantesque, il s'identifie à un génie universel capable de s'illustrer dans des genres aussi divers que le théâtre, la poésie, l'essai, le conte, l'histoire, le pamphlet*, la correspondance. De son vivant, sa gloire est immense, aussi bien en France qu'à l'étranger. Dans son abondante production, reconnaissable à un ton fait de clarté, de simplicité et d'esprit, la postérité a préféré retenir les ouvrages réputés mineurs – comme les contes – qui contiennent la part moderne et indémodable de son message : une farouche aspiration à la liberté et au bonheur exprimée avec la fantaisie espiègle du causeur. Candide est la parfaite illustration de ce talent.

Un reflet du siècle

Le XVIII^e siècle nous apparaît, en matière historique, comme un siècle de bouleversement et d'agitation, et, en matière littéraire, comme

* Les mots signalés par un astérisque sont définis dans le glossaire, p. 219.

un siècle de fécondité et de contraste. Voltaire, au carrefour de ces diverses tendances, constitue un excellent reflet de son temps.

La quête de la lumière

Entre la fin du règne de Louis XIV marquée par un climat d'austérité et de conflit et l'écroulement de la monarchie en 1792, le XVIIIe siècle oscille entre une phase de promesse (jusqu'en 1751 environ) et une phase de contestation lourde de menaces.

Le temps de la Régence (1715-1723), période de relâchement des mœurs, correspond à une effervescence littéraire et philosophique dont Voltaire est le représentant actif. Dans les salons, dans les cafés, dans les clubs se développe un esprit de liberté qui, en dépit de la censure, alimente des œuvres aussi bien légères (récits galants ou satiriques, comédies mondaines) que graves (les essais philosophiques ou politiques). Le même écrivain pouvant aussi bien s'illustrer dans les deux registres, comme Montesquieu auteur des très libertines *Lettres persanes* et de l'austère traité *De l'esprit des lois*.

Voltaire lui-même alterne les tragédies, une épopée, des traités historiques, des poèmes démonstratifs avec des petits écrits satiriques souvent saisis aussitôt que publiés (les *Lettres philosophiques* par exemple). Sa vie est en même temps celle d'un jeune homme turbulent et mondain qui fait l'expérience de la prison, de l'exil puis de la retraite obligée à Cirey en Champagne, auprès de Mme du Châtelet. Cette période d'espérance et de générosité, image de l'ambition des Lumières*, connaît son apogée avec le lancement de *L'Encyclopédie* par Diderot en 1751.

Le temps de la contestation

La deuxième moitié du siècle se caractérise par une dégradation du climat politique de la France avec la guerre de Sept Ans (1756-1763) qui plonge l'Europe dans le chaos, ou l'attentat de Damiens contre

Voltaire dans son cabinet de travail. Malgré son âge avancé, Voltaire ne se résigne pas à l'inaction : il entretient en secret une correspondance avec Frédéric II, plaide pour la paix en France, continue d'avoir d'innombrables querelles au sujet de la réforme de la justice et de l'État…

le roi Louis XV (1757) qui révèle l'impopularité de la couronne. L'exécution du protestant Calas (1762), l'interdiction des Jésuites (1764), la réforme maladroite des « parlements » de province cristallisent l'opposition. À son arrivée au pouvoir, Louis XVI hérite d'une situation agitée qu'il ne parvient pas à apaiser, malgré quelques réformes menées par des ministres compétents comme Turgot ou Necker.

Pendant ce temps, l'esprit critique se développe, la contestation philosophique se radicalise. Voltaire, déçu de son expérience auprès

de Frédéric II de Prusse, s'éloigne de Paris en s'installant d'abord à Genève puis à Ferney. Il prend position sur des sujets délicats, écrit des œuvres militantes et intervient pour dénoncer les dénis de justice au sujet des « affaires » Calas, Sirven, La Barre. L'esprit des Lumières* n'est pas éteint mais a perdu de son enthousiasme au profit d'une littérature plus subversive ou plus sentimentale. L'émergence de la sensibilité – illustrée surtout par Jean-Jacques Rousseau, parfois raillée par Voltaire comme dans *L'Ingénu* – prépare les épanchements **lyriques*** du siècle à venir.

Le moment de *Candide*

La fraîcheur du conte que nous lisons ne doit pas nous abuser : *Candide* est l'œuvre d'un vieillard puisque Voltaire est dans sa soixante-cinquième année quand il le compose. Ce récit spontané, vif, enlevé prouve pourtant que le vieil homme n'a rien perdu de sa verve et de sa combativité, même si sa vie personnelle et son regard sur l'actualité l'inclinent à l'amertume.

Les épreuves personnelles

Après une jeunesse agitée, Voltaire, vers la cinquantaine, occupe une place enviée : il est historiographe, académicien, gentilhomme ordinaire de la Chambre du roi, son œuvre est connue et célébrée. Cependant il traverse une crise, révélée par sa correspondance, qui tient à des soucis de santé, des préoccupations financières et surtout des désillusions sentimentales et politiques.

Mme du Châtelet, compagne attentionnée, femme jeune et cultivée, le délaisse pour un rival et meurt prématurément en 1749. L'expérience du séjour en Prusse auprès de Frédéric II, qui devait apporter à l'écrivain un dérivatif à ses malheurs et une fonction prestigieuse de conseiller du prince, tourne court, les deux tempéra-

Tremblement de terre de Lisbonne en 1755 : Que penser alors avec Voltaire de la divine Providence ? Les catastrophes naturelles font encore aujourd'hui l'objet de débats sur l'existence de Dieu.

ments n'étant pas faits pour s'accorder. Arrivé en France, Voltaire est en butte aux attaques des Jésuites, aux tracasseries administratives qui lui interdisent de résider à Paris. Ses malheurs personnels et son errance en Europe trouvent des échos dans les tribulations douloureuses de Candide.

Une actualité sombre

Ce qui se passe dans le monde n'est pas fait pour lui rendre son optimisme, et notamment deux événements qui trouveront place dans *Candide*. Le désastre de Lisbonne d'abord, survenu le 24 novembre 1755 sous la forme d'un tremblement de terre provoquant des dizaines de milliers de victimes et qui est évoqué aux chapitres 5 et 6 de *Candide*. « Cent mille fourmis, notre prochain, écrasées tout d'un coup dans notre fourmilière », écrit Voltaire à un ami. Il rédige aussi un poème vengeur qui s'en prend à la Providence* et le brouillera définitivement avec Rousseau.

L'autre manifestation du « mal » est le début de la guerre de Sept Ans qui met fin à une période de paix inaugurée par le traité d'Aix-la-Chapelle. L'Angleterre puis la France se lient à l'Autriche pour mener contre la Prusse un conflit aussi inutile que meurtrier. Voltaire, qui a tenté, en vain, de jouer les conciliateurs auprès de Frédéric II, n'a comme consolation que de ridiculiser la guerre dans son conte, aux chapitres 2 et 3.

Le conte comme arme de combat

Une plume plus légère

Voltaire n'a jamais eu ni l'âme ni l'ambition d'un romancier. Sa gloire, il pensait la tirer de ses tragédies et de ses poèmes. Mais, en même temps, il aime raconter, oralement ou par écrit (dans ses lettres par exemple), il aime captiver un auditoire par ses talents de conteur. L'âge venant, éloigné de la capitale, revenu des entreprises littéraires ambitieuses, séduit par une mode lancée par Charles Perrault et *Les Mille et Une Nuits* que l'on vient de traduire, il pense que la bataille philosophique peut avantageusement s'en remettre aux armes du merveilleux et de la fantaisie.

Le coup d'essai réussi de l'histoire de Babouc, héros de *Le monde*

comme il va, en 1747, qui se termine par la morale « laisser aller le monde comme il va, car si tout n'est pas bien tout est passable », l'incite à persévérer dans cette voie. *Zadig ou la Destinée* (1747), *Memnon ou la Sagesse humaine* (1749), puis *Micromégas* (1752) le convaincront de l'intérêt de ce qu'il nomme des « petits morceaux d'une allégorie philosophique ». *Candide* assure le triomphe du genre. Même si ce chef-d'œuvre n'est pas un terme, puisqu'il reste à écrire, par exemple, *L'Ingénu* en 1767 et, à près de quatre-vingts ans, quelques récits pleins de drôlerie et de férocité comme *La Princesse de Babylone*, *Le Taureau blanc*, *L'Histoire de Jenni*.

La guerre à l'optimisme

Les nouvelles cibles du conteur sont parfaitement identifiées : ce sont les défenseurs de la philosophie optimiste, et, parmi eux, l'auteur de *La Théodicée*, l'Allemand Leibniz. Voltaire n'a rien d'un pessimiste aigri : il apprécie la vie, peut considérer le monde avec bienveillance, jouir des arts avec raffinement. Mais l'évolution de sa pensée l'a conduit à considérer que, dans l'existence des hommes, le mal tend à l'emporter sur le bien. C'est pour lui se bercer d'illusions que d'estimer que « tout est bien » (Leibniz), que l'homme porte en lui une bonté naturelle (Rousseau), que la Providence* est une garantie de bonheur. En ridiculisant ces thèses, c'est aux dérives du fanatisme, aux impasses de la métaphysique* qu'il s'en prend. Sur le mode de la moquerie, mais avec pugnacité comme toujours, il va donc, dans *Candide*, présenter un échantillon des horreurs de la réalité et suggérer quelques réponses en vue d'une sagesse prudente.

Les ressources de la fiction

La fiction du conte, genre peu codifié et apparemment innocent, sert son entreprise. Ce type de récit court peut se satisfaire d'une trame simpliste, et celle de *Candide*, dépourvue de vraisemblance,

Histoire et culture au temps de Voltaire

	Histoire	Culture	Vie et œuvre de Voltaire
1685	Révocation de l'édit de Nantes.		
1689		Naissance de Montesquieu.	
1694			Naissance à Paris de François Marie Arouet.
1695		Mort de La Fontaine.	
1704			Entrée au collège Louis-le-Grand.
1706			Fréquente la société du Temple (libertins).
1710		*Essais de théodicée*, Leibniz.	
1712		Naissance de Rousseau.	
1713		Naissance de Diderot.	
1715	Mort de Louis XIV. Régence du duc d'Orléans.		
1717		Naissance de D'Alembert.	Premier séjour à la Bastille.
1718			*Œdipe*, première tragédie. Arouet prend le nom de Voltaire.
1721		*Lettres persanes*, Montesquieu.	
1723	Début du règne de Louis XV.		
1725			*L'Indiscret*, comédie.
1726		*Les Voyages de Gulliver*, Swift.	Deuxième séjour à la Bastille. Exil en Angleterre.
1728			*La Henriade*, poème épique.
1731		*Manon Lescaut*, abbé Prévost.	
1732			*Zaïre*, tragédie orientale.
1734			*Lettres philosophiques*. Départ pour Cirey chez Mme du Châtelet.

Année		
1736		*Le Mondain.*
1740	Début du règne de Frédéric II de Prusse. Guerre de Succession d'Autriche (→ 1748).	
1747		*Zadig.*
1748	*De l'esprit des lois*, Montesquieu.	
1749		Mort de Mme du Châtelet.
1750	Début de la publication de l'*Encyclopédie*.	Départ pour la Prusse.
1752		*Micromégas.*
1755	Tremblement de terre de Lisbonne. Mort de Montesquieu.	Installation aux « Délices » près de Genève.
1756	Guerre de Sept Ans : l'Angleterre et la Prusse alliées contre la France, l'Autriche et la Russie (→ 1763).	
1759		*Candide.*
1760		Installation à Ferney.
1762	Avènement de Catherine II en Russie. *Émile* ; *Du contrat social*, Rousseau.	
1764	Suppression de l'ordre des Jésuites en France.	*Dictionnaire philosophique.*
1767		*L'Ingénu.*
1768	Naissance de Chateaubriand.	
1774	Début du règne de Louis XVI (→ 1793).	
1775	*Le Barbier de Séville*, Beaumarchais.	
1778	Alliance de la France avec les États-Unis d'Amérique (indépendance en 1776). Mort de Rousseau.	Retour à Paris quitté en 1750. Triomphe à la Comédie-Française. Mort le 30 mai.

vaguement imitée des romans d'amour, se ramène à une succession de coïncidences et de rencontres, à une accumulation de péripéties burlesques. De même les personnages, particulièrement nombreux, peuvent être réduits à l'apparence de silhouettes convoquées arbitrairement pour les besoins de la démonstration. La ligne narratrice se contentera de reprendre la recette éprouvée du voyage, qui permet, sous couvert de reproduire une quête, de transporter les acteurs dans les divers lieux de présence du mal. Quant au ton, il sera celui de la vivacité, grâce au rythme haletant du récit, de la gaieté, née de l'exagération, de la parodie*, de la farce, enfin de la démystification par l'utilisation de la plus redoutable des armes voltairiennes, l'**ironie***.

Le conte, devenu philosophique, se hisse au rang de machine de guerre. *Candide*, ou comment transformer le désespoir – celui de l'auteur – en éclat de rire, le militantisme philosophique en jeu de massacre, une badinerie sans conséquence en cri de révolte. Avec *Candide*, la littérature devient une fête de l'esprit.

Candide

ou l'Optimisme

Traduit de l'allemand
de M. le docteur Ralph

avec les additions qu'on a trouvées
dans la poche du docteur,
lorsqu'il mourut à Minden, l'an de grâce 1759.

1

Comment Candide fut élevé dans un beau château, et comment il fut chassé d'icelui

Il y avait en Westphalie, dans le château de M. le baron de Thunder-ten-tronckh, un jeune garçon à qui la nature avait donné les mœurs les plus douces. Sa physionomie annonçait son âme. Il avait le jugement assez droit, avec l'esprit le plus simple ; c'est, je crois, pour cette raison qu'on le nommait Candide. Les anciens domestiques de la maison soupçonnaient qu'il était fils de la sœur de monsieur le baron et d'un bon et honnête gentilhomme du voisinage, que cette demoiselle ne voulut jamais épouser parce qu'il n'avait pu prouver que soixante et onze quartiers[1], et que le reste de son arbre généalogique avait été perdu par l'injure du temps.

Monsieur le baron était un des plus puissants seigneurs de la Westphalie, car son château avait une porte et des fenêtres. Sa grande salle même était ornée d'une tapisserie. Tous les chiens de ses basses-cours composaient une meute dans le besoin ; ses palefreniers étaient ses piqueurs ; le vicaire du village était son grand aumônier. Ils l'appelaient tous monseigneur, et ils riaient quand il faisait des contes.

1. Quartiers : degrés d'ascendance en matière de noblesse.

Madame la baronne, qui pesait environ trois cent cinquante livres[1], s'attirait par là une très grande considération, et faisait les honneurs de la maison avec une dignité qui la rendait encore plus respectable. Sa fille Cunégonde, âgée de dix-sept ans, était haute en couleur, fraîche, grasse, appétissante. Le fils du baron paraissait en tout digne de son père. Le précepteur Pangloss était l'oracle[2] de la maison, et le petit Candide écoutait ses leçons avec toute la bonne foi de son âge et de son caractère.

Pangloss enseignait la métaphysico-théologo-cosmolonigologie. Il prouvait admirablement qu'il n'y a point d'effet sans cause, et que, dans ce meilleur des mondes possibles, le château de monseigneur le baron était le plus beau des châteaux et madame la meilleure des baronnes possibles.

« Il est démontré, disait-il, que les choses ne peuvent être autrement : car, tout étant fait pour une fin, tout est nécessairement pour la meilleure fin. Remarquez bien que les nez ont été faits pour porter des lunettes, aussi avons-nous des lunettes. Les jambes sont visiblement instituées pour être chaussées, et nous avons des chausses[3]. Les pierres ont été formées pour être taillées, et pour en faire des châteaux, aussi monseigneur a un très beau château ; le plus grand baron de la province doit être le mieux logé ; et, les cochons étant faits pour être mangés, nous mangeons du porc toute l'année : par conséquent, ceux qui ont avancé que tout est bien ont dit une sottise ; il fallait dire que tout est au mieux. »

1. Trois cent cinquante livres : environ 175 kilos.
2. Oracle : celui qui fait autorité.
3. Chausses : sortes de culottes et de bas combinés.

Candide écoutait attentivement, et croyait innocemment ; car il trouvait Mlle Cunégonde extrêmement belle, quoiqu'il ne prît jamais la hardiesse de le lui dire. Il concluait qu'après le bonheur d'être né baron de Thunder-tentronckh, le second degré de bonheur était d'être Mlle Cunégonde ; le troisième, de la voir tous les jours ; et le quatrième, d'entendre maître Pangloss, le plus grand philosophe de la province, et par conséquent de toute la terre.

Un jour, Cunégonde, en se promenant auprès du château, dans le petit bois qu'on appelait *parc,* vit entre des broussailles le docteur Pangloss qui donnait une leçon de physique expérimentale à la femme de chambre de sa mère, petite brune très jolie et très docile. Comme Mlle Cunégonde avait beaucoup de dispositions pour les sciences, elle observa, sans souffler, les expériences réitérées dont elle fut témoin ; elle vit clairement la raison suffisante du docteur, les effets et les causes, et s'en retourna tout agitée, toute pensive, toute remplie du désir d'être savante, songeant qu'elle pourrait bien être la raison suffisante du jeune Candide, qui pouvait aussi être la sienne.

Elle rencontra Candide en revenant au château, et rougit ; Candide rougit aussi ; elle lui dit bonjour d'une voix entrecoupée, et Candide lui parla sans savoir ce qu'il disait. Le lendemain après le dîner, comme on sortait de table, Cunégonde et Candide se trouvèrent derrière un paravent ; Cunégonde laissa tomber son mouchoir, Candide le ramassa, elle lui prit innocemment la main, le jeune homme baisa innocemment la main de la jeune demoiselle avec une vivacité, une sensibilité, une grâce toute particulière ; leurs bouches se rencontrèrent, leurs yeux s'enflammèrent, leurs genoux tremblèrent, leurs mains s'égarèrent. M. le baron de Thunder-ten-tronckh passa auprès du paravent, et voyant cette

cause et cet effet, chassa Candide du château à grands coups de pied dans le derrière ; Cunégonde s'évanouit ; elle fut souffletée par madame la baronne dès qu'elle fut revenue à elle-même ; et tout fut consterné dans le plus beau et le plus agréable des châteaux possibles.

Arrêt
sur
lecture 1

Tout va vite, tout s'enchaîne, tout se précipite : la pause s'impose. Ce premier chapitre que nous venons de parcourir, par son rythme, par ses personnages, par sa tonalité, par sa thématique accroche notre attention, suscitant simultanément notre envie de poursuivre la lecture et notre désir de clarifier les intentions de l'auteur. Le plaisir du conte voltairien tient autant à la fantaisie débridée du récit qu'à la portée philosophique et morale du message.

La mise en condition du lecteur

Avant même de nous livrer son histoire, l'auteur choisit de délimiter son territoire et de préparer notre lecture par l'utilisation très personnelle des éléments conventionnels qui précèdent et annoncent le texte, part qui relève de ce que l'on nomme le *paratexte**. Interrogeons donc la page de titre, à la fois pour ce qu'elle contient et pour ce qu'elle cache.

Un titre double

Le conte, pour plaire, aime à égarer. En s'offrant à nous sous forme de titres soit neutres, soit énigmatiques, soit suggestifs. Et parfois, comme ici, avec un titre double formé de deux segments, de sens et de statut différents.

Où il est question d'un certain Candide… – La première partie du titre, limitée au nom d'un personnage, obéit à la tradition romanesque du récit d'une vie. Ce conte sera centré sur un individu dont nous suivrons éventuellement la formation dans une structure proche du « roman d'apprentissage * », et les aventures multiples dans l'esprit du « roman picaresque * ».

Ce n'est pas tout. À la différence de ce qui se passe pour les romans réalistes qui déclinent dans leur titre un état civil complet (ceux de Balzac par exemple comme *Louis Lambert* ou *César Birotteau*), notre conte réduit le sien à un simple prénom, caractéristique qui signale la jeunesse du héros – pas en âge d'être désigné par un patronyme –, sa précarité familiale, sa proximité avec le lecteur enfin dont on sollicite la sympathie et l'indulgence.

Mais, de plus, ce prénom (comme quelques autres plus ou moins usités : Juste, Parfait, Fidèle, Clément, Modeste…) recouvre une qualité morale. L'adjectif *candide* désigne un personnage naïf, sincère, dénué d'expérience, mal armé pour affronter le monde et ses épreuves. Cet « innocent », un peu niais, sans réel esprit critique, victime de sa crédulité, risque d'essuyer bien des déconvenues avant d'accéder à la lumière du savoir. La piste du roman d'apprentissage * se confirme.

… et d'un penchant philosophique – Le sous-titre, lié au premier titre par une conjonction qui marque l'alternative (*ou*, c'est-à-dire « c'est la même chose », ou bien « c'est à vous de choisir ») est composé d'un mot abstrait précédé d'un article défini (*L'Optimisme*) désignant une notion philosophique. Le sens du mot (disposition à voir le bon côté des choses) renvoie à une qualité que l'on peut prê-

ter à un « candide », mais recouvre également une question grave, largement défendue au cours du XVIIIe siècle : le monde peut-il être considéré comme parfait en dépit de l'expérience du mal, c'est-à-dire des malheurs physiques et des imperfections morales ? Le philosophe allemand Leibniz avec sa formule « Le Tout est bien », se fait le défenseur de l'optimisme philosophique, alors que Voltaire souhaite, avec son conte, discréditer cette thèse.

Ainsi, réunissant un prénom riche de sens et un terme du registre philosophique, ce titre double invite à une double lecture suivant que l'on privilégie les aventures du personnage crédule ou la démonstration en faveur d'une pensée philosophique. D'un côté la gaieté d'un conte, de l'autre la gravité d'un débat. À moins que l'intention de Voltaire soit de parasiter la discussion sérieuse par la fantaisie du récit et… de cacher sous la légèreté du divertissement romanesque le questionnement indigné d'un penseur lucide. La réunion de ces deux hypothèses nous aide à comprendre, dès le titre, la spécificité du « conte philosophique * ».

Des informations truquées

Le double titre est complété par deux informations, présentées dans des caractères typographiques distincts, sur les conditions de publication du texte que nous allons lire. Ces deux prolongements remplissent un même but : conférer au conte un statut d'authenticité et un air de mystère. La précision de date (1759, date réelle de rédaction), et de lieu (Minden, ville de Westphalie), les qualités de l'auteur supposé (le docteur Ralph), la langue (l'allemand), les circonstances de la découverte (« additions… trouvées dans la poche ») témoignent, en feignant l'authenticité, d'une volonté de mystification destinée autant à amuser qu'à détourner la curiosité au sujet de l'auteur véritable.

Car bien que surchargé dès sa première page de renseignements techniques, Candide se présente comme une œuvre anonyme,

conformément au vœu de Voltaire soucieux de déjouer la censure, de s'avancer malicieusement masqué, de ne pas compromettre son nom avec un sujet badin. Il respecte ainsi l'usage répandu à l'époque de ne pas signer ses livres, surtout lorsqu'il s'agit d'œuvres de fiction. Voltaire, grand amateur de déguisements, venu tardivement au conte, ira jusqu'à renier publiquement ces « fadaises philosophiques » tout en continuant à en rédiger jusqu'à la fin de sa vie. « Il faut avoir perdu le sens pour m'attribuer cette coïonnerie », écrit-il à Jacob Vernes le 15 mars 1759.

L'entrée dans l'univers du conte

Au XVIIIe siècle, les domaines respectifs du roman et du conte sont mal délimités et réduits, le plus souvent, à une différence de format. *Candide* qui, par sa longueur, pourrait être considéré comme un roman, est traditionnellement rattaché au genre du conte par la fantaisie de la narration, les invraisemblances des péripéties, les effets de parodie*. Mais la volonté édifiante, le pessimisme de la thèse, le recours à la satire* et à l'ironie* font de ce livre le chef-d'œuvre du conte philosophique.

Une ouverture parodique

Faux roman ou vrai conte, ce récit semble vouloir dès les premières pages exploiter les ressources de la parodie. Un romanesque* de pacotille contrefait les composantes traditionnelles du roman d'aventures ou du roman d'amour.

Les titres de chapitres – Ce chapitre incipit*, comme l'ensemble des trente chapitres qui composent le conte, est affecté d'un titre long, descriptif, détaillé qui imite ceux des récits épiques ou chevaleresques du Moyen Âge. La tournure archaïque « icelui » confirme cette volonté parodique déjà présente dans les récits burlesques de Rabelais.

La présentation schématique des personnages – Le conte est un genre léger et bref qui ne souhaite pas s'attarder sur la caractérisation psychologique des personnages. À part Candide, mieux identifié que les autres, les personnages nous apparaissent comme des silhouettes stylisées, simples marionnettes limitées à une fonction : le père noble, la mère difforme, le précepteur infaillible, la jeune fille « appétissante ». Pour l'efficacité de sa démonstration, le conteur doit négliger les détails.

Les stéréotypes du roman d'amour – C'est dans les trois derniers paragraphes du chapitre qu'apparaît l'élément narratif essentiel : l'aventure amoureuse brutalement interrompue entre Cunégonde et Candide. Les deux jeunes gens, attirés par l'amour, semblent naturellement faits l'un pour l'autre ; or, conformément à un ressort romanesque courant, ils vont être séparés par le destin, incarné ici par un père intraitable. La suite du conte racontera donc, à travers une succession d'épreuves, la quête de la femme aimée. Mais les prémices de cette aventure sentimentale sont narrées sur le mode burlesque : rapidité anormale du passage à l'acte (suscité il est vrai par le souci d'imiter « l'expérimentation » de Pangloss et Paquette), convention de la situation (le jardin, le paravent, le mouchoir, les progrès du désir…), nature triviale du châtiment paternel. Voltaire réunit les ingrédients traditionnels du roman sentimental pour en souligner le caractère factice. La parodie va également toucher les questions philosophiques.

Un Éden frelaté

Le château westphalien où commence l'action du conte, représente une métaphore parodique du « paradis terrestre », ce « jardin d'Éden » créé par Dieu au premier livre de la Bible pour y installer le premier homme. Notre château, lieu inaugural où règne un seigneur omnipotent, abrite lui aussi un héros innocent, pur, sans attache (il est bâtard et orphelin) qui va rompre la belle harmonie du bonheur

Le Baron....voyant cette cause & cet effet, chassa Candide du Château à grands coups de pied dans le derriere ;

Candide Chap. 1er

Diriez-vous de la gravure de Dambrun qu'elle relève du pathétique ? Y décelez-vous de l'ironie ?

primitif par une infraction sexuelle qu'il lui faudra expier par son errance et son travail. La faute a lieu dans un jardin, et la première phrase du chapitre 2 nous précisera : « Candide, chassé du paradis terrestre... »

Toutefois ce pseudo-Éden germanique n'a rien de la merveilleuse fraîcheur du jardin de la Genèse. D'abord parce que la Westphalie constitue, pour Voltaire, la région la plus arriérée d'Allemagne ; ensuite parce que cet espace clos est celui de l'illusion. L'autorité du

baron (un titre dévalué) est celle d'un hobereau vaniteux qui règne sur des paysans, se contente des signes superficiels de la puissance, entretient une famille oisive, un philosophe borné. C'est pour souligner l'étendue de cette tromperie que Voltaire accumule les superlatifs : « le plus grand baron de la province », « un des plus grands seigneurs de la contrée », « la meilleure des baronnes possibles ».

L'arme de la satire* ne s'exerce pas seulement à l'égard de l'aristocratie et de ses prétentions ridicules. Elle porte également sur la thèse philosophique défendue par Pangloss, « l'oracle de la maison », converti à la religion de l'optimisme. Or ce personnage, aussi bien dans son exposé que dans sa conduite avec la femme de chambre, est traité de manière caricaturale. Le principe de perfection qui fonde son raisonnement ne résiste pas à l'expérience de la vie et de ses souffrances ; l'idée de causalité selon laquelle le hasard n'existe pas et le monde évolue providentiellement vers l'harmonie est illustrée par des exemples grotesques. L'épilogue du chapitre et la « chute » de Candide achèvent de discréditer les théories du philosophe. Notons enfin que ce prétendu sage s'y entend pour cacher ses mœurs libertines sous des apparences de science.

Le rire de Voltaire

La sévérité de ces attaques ne doit pas nous faire oublier que nous sommes dans un conte dont le but est moins d'instruire que d'amuser. À vrai dire les deux missions sont complémentaires dans le conte voltairien où le combat se mène avec les armes du rire.

Le jeu avec les noms propres – L'onomastique* participe de l'intention satirique ou parodique* comme le prouve, outre celui de Candide, le nom de trois personnages du chapitre. *Thunder-ten-tronckh* d'abord, nom imprononçable qui trahit la moquerie à l'égard des prétentions nobiliaires du baron. *Cunégonde*, qui renvoie à une sainte Cunégonde (cité par Voltaire dans un de ses livres) qui s'illustra par sa chasteté et sa vertu. *Pangloss* enfin, dont le nom,

composé à partir de deux racines grecques peut se traduire par « Tout langage », et convient parfaitement à ce bavard emphatique. À noter que la « cosmologie » qu'il est censé enseigner est humoristiquement transformée par l'adjonction du faux suffixe *nigo* qu'il est inutile de commenter.

L'humour – C'est le procédé qui consiste à introduire un décalage entre la chose dite et la manière de la dire. L'humour révèle la présence de l'auteur et établit une connivence avec le lecteur. Quelques exemples permettront de comprendre son fonctionnement. La preuve que le baron est un puissant seigneur tient au fait que « son château avait une porte et des fenêtres ». Déduction amusante par son caractère absurde (toute habitation possède une porte et des fenêtres) mais renforcée par l'usage qui voulait que les demeures soient taxées en fonction du nombre d'ouvertures.

Autre exemple, assez proche, celui de la baronne dont on nous assure que la « grande considération » dont elle jouit tient moins à son rayonnement moral ou social qu'à son poids physique, et ses cent soixante-quinze kilos. De même, autre fausse évidence que l'auteur ne commente pas, c'est l'appréciation de Candide sur Pangloss qu'il juge « le plus grand philosophe de la province, et *par conséquent* de toute la terre ». On trouverait encore bien des traces de l'humour, comme celui des détournements de registres, quand Voltaire évoque une scène galante, entre Pangloss et Paquette, avec des termes scientifiques inappropriés.

L'humour comme arme – L'ironie* est l'arme favorite de Voltaire. Le procédé, pas toujours éloigné de l'humour, consiste le plus souvent à dire le contraire de ce que l'on pense, au moyen de la figure de l'*antiphrase** par exemple. Dans ce chapitre, comme dans le reste du conte, l'ironie est omniprésente. Toutes les « qualités » concernant le baron, sa grandeur, son château, sa famille, son philosophe, sont à lire à rebours car démenties par des éléments discrètement suggérés par l'auteur. Par exemple, le fils du baron mérite

une admiration totale puisqu'«il paraissait en tout digne de son père»; Pangloss qui débite des sottises est considéré comme «l'oracle de la maison», le petit bois du château est appelé abusivement «parc»... Et surtout ce bonheur harmonieux décrit par le précepteur est contesté ironiquement par la catastrophe finale qui permet cette conclusion oxymorique* «et tout fut consterné dans le plus beau et le plus agréable des châteaux possibles».

Pour une lecture

Les observations qui précèdent fixent les orientations d'une lecture critique, c'est-à-dire soucieuse de repérer dans un texte les éléments qui en font la richesse. Ce travail peut être plus approfondi quand il s'applique à un extrait bref, ainsi que nous tentons de le faire à propos des quatre premiers paragraphes du chapitre I (pp. 17-18, jusqu'à «la meilleure des baronnes possibles»).

Mise en place de l'étude

L'étude méthodique d'un passage suppose que l'on commence par apporter un certain nombre de précisions concernant la situation du texte, sa caractérisation, sa composition.

Situation – Ce passage constitue l'incipit* de *Candide* de Voltaire. Il est précédé d'un titre qui nous informe qu'au sujet du personnage central – au nom transparent – on va s'arrêter sur sa jeunesse et son éducation puis sur un événement perturbateur qui ouvre une période d'aventure.

Caractérisation – Le titre du chapitre nous révèle que le texte appartient au genre du conte, particularité attestée par le «beau château», renvoyant à un univers merveilleux, ou «icelui», terme archaïque qui suggère les temps jadis. Les premiers mots du texte «il y avait en Westphalie» reprennent une formule inaugurale du conte

de fées et laissent deviner une histoire légendaire et plaisante. Toutefois, l'ironie se devine par la tournure parodique de ce titre et par le contraste entre la forme (souriante) et l'événement (une expulsion). La description des personnages va le confirmer en introduisant des effets de satire.

Composition – La structure du passage est aisée à repérer puisqu'elle respecte l'ordre d'apparition des quatre personnages principaux. À noter que Candide qui, en tant que personnage éponyme*, est cité en premier, réapparaît à la fin du troisième paragraphe en position passive d'auditeur privilégié de Pangloss. C'est cette soumission aux leçons du maître qui va constituer le ressort essentiel du conte.

Axes de lecture

> En s'appuyant sur des éléments précis du texte nous pouvons dégager des axes de lecture qui devraient aider à discerner les intentions dominantes de l'auteur.

1 – La présentation des personnages

L'exposition est consacrée, conformément à la tradition du conte, à la présentation des personnages. Ils sont ici au nombre de cinq et Candide est nommé le premier car c'est par ses yeux que sera vécue l'histoire qui commence. La suite du tableau respecte un ordre strictement hiérarchique qui trahit la rigidité du protocole : d'abord les nobles, le baron, la baronne, la fille, le fils, puis Pangloss, le précepteur roturier. Enfin le « petit Candide » qui anormalement placé en premier, réintègre ici sa vraie place : la dernière.

Excepté pour Candide, le portrait des personnages est escamoté. Certains d'entre eux sont vaguement esquissés par de petites touches (la baronne, Cunégonde), d'autres sont posés comme des silhouettes abstraites résumées par leur statut (le baron, le fils, le précepteur). Afin de ne pas ralentir la lecture, le conteur opte pour la sobriété.

Enfin ces personnages sont liés entre eux par des liens d'hérédité.

À la tête de la famille, le baron, seigneur et maître, puis sa descendance légitime, enfin Candide, l'enfant naturel. Les enfants héritent d'ailleurs des particularités de leurs parents. Cette cellule familiale apparemment idyllique contient un élément de désordre en la personne de Candide, condamné par sa naissance à trouver, hors de ces lieux, son identité et son bonheur.

2 – Le portrait de Candide

Le personnage qui donne son nom au conte jouit d'un traitement privilégié. Outre son nom, qui le définit déjà, Candide nous est d'abord présenté à travers ses qualités morales faites de douceur (« les mœurs les plus douces »), de franchise (« sa physionomie annonçait son âme »). Puis ses qualités intellectuelles « il avait le jugement assez droit, avec l'esprit le plus simple », formulation ambiguë qui souligne une intelligence naturelle, un bon sens relatif, mais en même temps beaucoup de naïveté, de crédulité qui le préparent à une existence de découvertes et de désillusions. L'expérience de la vie et du monde pourra seule déniaiser cet innocent.

Ce jeune homme naïf et droit dépare dans ce décor d'opérette où règne le mensonge. Alors que les Thunder-ten-tronckh sont enfermés dans leurs ridicules préjugés nobiliaires, Candide échappe à l'esprit de caste par sa naissance obscure. Alors que le château est fasciné par le discours de Pangloss, « l'oracle de la maison », lui se montre certes attentif, mais dans les limites strictes « de son âge et de son caractère ». Le texte révélant qu'il est à la fois la victime désignée des beaux parleurs et l'esprit lucide capable de « s'étonner » des mystères du monde. Au total, il nous apparaît comme un personnage légèrement marginal, tiraillé entre l'aliénation intellectuelle et la liberté de pensée.

3 – Les joies de la satire

La famille Thunder-ten-tronckh, dont le nom annonce le grotesque,

est totalement prisonnière de ses préjugés aristocratiques. Elle a refusé à la sœur du baron un mari à la généalogie douteuse (les soixante et onze quartiers de noblesse feraient pourtant près de 2000 ans !) ; elle se contente des signes les plus vains de la grandeur : les portes et les fenêtres du château, la tapisserie de la grande salle, le titre des serviteurs (les piqueurs sont en fait des garçons d'écurie, le grand aumônier un curé du village) ; elle a en revanche perdu les marques de distinction attachées à sa caste : le baron amuse la galerie avec des contes plaisants, la baronne est obèse, la fille de la maison est définie, telle une volaille, par ses qualités de chair et de peau.

Le personnage de Pangloss permet d'illustrer l'autre sujet de la satire, l'illusion philosophique. Le précepteur est présenté d'une manière qui suffit à le discréditer : son nom le désigne comme un adepte du verbiage, le titre ronflant et caricatural de sa doctrine montre un désir de cacher son ignorance sous des formules prétentieuses. Son enseignement (ironiquement présenté comme « admirable ») semble se limiter à l'apologie hyperbolique de ses hôtes. La sottise du philosophe, pâle copie d'un Leibniz dont il reprend les formules sans réfléchir, sert la vanité de l'aristocrate en transformant ce château délabré en « paradis terrestre ». La parodie* du thème de la chute est en marche.

Conclusion – L'incipit* de *Candide* nous place dans l'univers fabuleux du conte dont Voltaire exploite, pour s'en moquer, les procédés conventionnels. Mais ce conte n'est pas seulement destiné à faire rêver ou même sourire ; il a pour objectif de mener un combat contre les préjugés sociaux et les absurdités philosophiques. La stratégie du conteur est donc indirecte : elle utilise les armes de la parodie, de l'humour, de la raillerie, de l'ironie surtout pour discréditer l'adversaire et déranger le lecteur. En lui donnant ainsi l'envie de poursuivre la lecture.

à vous...

1 – Cherchez dans l'œuvre de Voltaire d'autres titres de contes doubles ; comparez-les avec *Candide ou l'Optimisme*.

2 – Certains titres d'œuvres consacrés à des personnages sont, à la différence de *Candide*, constitués de l'état civil complet du héros éponyme*. Nous vous fournissons les noms de famille, complétez les titres avec le prénom, puis donnez l'identité de l'auteur :

... Lescaut ; ... Durward ; ... Leuwen ; ... Twist ; ... Copperfield ; ... Grandet ; ... Borgia ; ... Raquin ; ... Marquez ; ... Desqueyroux

3 – Faites preuve d'imagination : « Sordide ou le Pessimisme », sous ce titre vous rédigerez l'antithèse du conte de Voltaire en inventant un premier chapitre qui prenne le contre-pied exact de notre modèle. « Il y avait en... dans la tanière de... un affreux personnage à qui la nature avait donné l'instinct du mal... » Si le jeu vous amuse, poursuivez...

2

Ce que devint Candide
parmi les Bulgares

Candide, chassé du paradis terrestre, marcha longtemps sans savoir où, pleurant, levant les yeux au ciel, les tournant souvent vers le plus beau des châteaux qui renfermait la plus belle des baronnettes; il se coucha sans souper au milieu des champs entre deux sillons; la neige tombait à gros flocons. Candide, tout transi, se traîna le lendemain vers la ville voisine, qui s'appelle Valdberghoff-trarbk-dik-dorff, n'ayant point d'argent, mourant de faim et de lassitude. Il s'arrêta tristement à la porte d'un cabaret. Deux hommes habillés de bleu le remarquèrent : «Camarade, dit l'un, voilà un jeune homme très bien fait, et qui a la taille requise.» Ils s'avancèrent vers Candide et le prièrent à dîner très civilement. «Messieurs, leur dit Candide avec une modestie charmante, vous me faites beaucoup d'honneur, mais je n'ai pas de quoi payer mon écot[1]. – Ah! monsieur, lui dit un des bleus, les personnes de votre figure et de votre mérite ne payent jamais rien : n'avez-vous pas cinq pieds cinq pouces[2] de haut? – Oui, messieurs, c'est ma taille,

1. Écot : la part qui revient à chacun.
2. Pied : environ 33 cm; pouce : moins de 3 cm.

dit-il en faisant la révérence. – Ah! monsieur, mettez-vous à table; non seulement nous vous défrayerons[1], mais nous ne souffrirons jamais qu'un homme comme vous manque d'argent, les hommes ne sont faits que pour se secourir les uns les autres. – Vous avez raison, dit Candide : c'est ce que M. Pangloss m'a toujours dit, et je vois bien que tout est au mieux. » On le prie d'accepter quelques écus, il les prend et veut faire son billet[2]; on n'en veut point, on se met à table : « N'aimez-vous pas tendrement?… – Oh! oui, répondit-il, j'aime tendrement Mlle Cunégonde. – Non, dit l'un de ces messieurs, nous vous demandons si vous n'aimez pas tendrement le roi des Bulgares. – Point du tout, dit-il, car je ne l'ai jamais vu. – Comment! c'est le plus charmant des rois, et il faut boire à sa santé. – Oh! très volontiers, messieurs »; et il boit. « C'en est assez, lui dit-on, vous voilà l'appui, le soutien, le défenseur, le héros des Bulgares; votre fortune est faite, et votre gloire est assurée. » On lui met sur-le-champ les fers aux pieds, et on le mène au régiment. On le fait tourner à droite, à gauche, hausser la baguette[3], remettre la baguette, coucher en joue, tirer, doubler le pas, et on lui donne trente coups de bâton; le lendemain il fait l'exercice un peu moins mal, et il ne reçoit que vingt coups; le surlendemain on ne lui en donne que dix, et il est regardé par ses camarades comme un prodige.

Candide, tout stupéfait, ne démêlait pas encore trop bien comment il était un héros. Il s'avisa un beau jour de printemps de s'aller promener, marchant tout droit devant lui, croyant que c'était un privilège de l'espèce humaine, comme de l'espèce animale, de se servir de ses jambes à son

1. Défrayerons : paierons votre consommation.
2. Billet : reçu de reconnaissance de dette.
3. Baguette : celle qui sert à charger le fusil.

plaisir. Il n'eut pas fait deux lieues[1] que voilà quatre autres héros de six pieds qui l'atteignent, qui le lient, qui le mènent dans un cachot. On lui demanda juridiquement ce qu'il aimait le mieux d'être fustigé trente-six fois par tout le régiment, ou de recevoir à la fois douze balles de plomb dans la cervelle. Il eut beau dire que les volontés sont libres ; et qu'il ne voulait ni l'un ni l'autre, il fallut faire un choix ; il se détermina, en vertu du don de Dieu qu'on nomme *liberté,* à passer trente-six fois par les baguettes ; il essuya deux promenades. Le régiment était composé de deux mille hommes ; cela lui composa quatre mille coups de baguette, qui, depuis la nuque du cou jusqu'au cul, lui découvrirent les muscles et les nerfs. Comme on allait procéder à la troisième course, Candide, n'en pouvant plus, demanda en grâce qu'on voulût bien avoir la bonté de lui casser la tête ; il obtint cette faveur ; on lui bande les yeux, on le fait mettre à genoux. Le roi des Bulgares passe dans ce moment, s'informe du crime du patient ; et comme ce roi avait un grand génie, il comprit, par tout ce qu'il apprit de Candide, que c'était un jeune métaphysicien, fort ignorant des choses de ce monde, et il lui accorda sa grâce avec une clémence qui sera louée dans tous les journaux et dans tous les siècles. Un brave chirurgien guérit Candide en trois semaines avec les émollients enseignés par Dioscoride[2]. Il avait déjà un peu de peau et pouvait marcher, quand le roi des Bulgares livra bataille au roi des Abares.

1. Lieue : ancienne mesure d'environ 3,5 km.
2. Dioscoride : médecin du I[er] siècle après J.-C.

Comment Candide se sauva
d'entre les Bulgares,
et ce qu'il devint

Rien n'était si beau, si leste, si brillant, si bien ordonné que les deux armées. Les trompettes, les fifres, les hautbois, les tambours, les canons, formaient une harmonie telle qu'il n'y en eut jamais en enfer. Les canons renversèrent d'abord à peu près six mille hommes de chaque côté ; ensuite la mousqueterie ôta du meilleur des mondes environ neuf à dix mille coquins qui en infectaient la surface. La baïonnette fut aussi la raison suffisante de la mort de quelques milliers d'hommes. Le tout pouvait bien se monter à une trentaine de mille âmes. Candide, qui tremblait comme un philosophe, se cacha du mieux qu'il put pendant cette boucherie héroïque.

Enfin, tandis que les deux rois faisaient chanter des *Te Deum*[1] chacun dans son camp, il prit le parti d'aller raisonner ailleurs des effets et des causes. Il passa par-dessus des tas de morts et de mourants, et gagna d'abord un village voisin ; il était en cendres : c'était un village abare que les Bulgares avaient brûlé, selon les lois du droit public. Ici des vieillards criblés de coups regardaient mourir leurs femmes

1. *Te Deum* : chant religieux de remerciement à Dieu ; actions de grâces.

égorgées, qui tenaient leurs enfants à leurs mamelles sanglantes ; là des filles éventrées après avoir assouvi les besoins naturels de quelques héros rendaient les derniers soupirs ; d'autres, à demi brûlées, criaient qu'on achevât de leur donner la mort. Des cervelles étaient répandues sur la terre à côté de bras et de jambes coupés.

Candide s'enfuit au plus vite dans un autre village : il appartenait à des Bulgares, et des héros abares l'avaient traité de même. Candide, toujours marchant sur des membres palpitants ou à travers des ruines, arriva enfin hors du théâtre de la guerre, portant quelques petites provisions dans son bissac, et n'oubliant jamais Mlle Cunégonde. Ses provisions lui manquèrent quand il fut en Hollande ; mais ayant entendu dire que tout le monde était riche dans ce pays-là, et qu'on y était chrétien, il ne douta pas qu'on ne le traitât aussi bien qu'il l'avait été dans le château de monsieur le baron avant qu'il en eût été chassé pour les beaux yeux de Mlle Cunégonde.

Il demanda l'aumône à plusieurs graves personnages, qui lui répondirent tous que, s'il continuait à faire ce métier, on l'enfermerait dans une maison de correction pour lui apprendre à vivre.

Il s'adressa ensuite à un homme qui venait de parler tout seul une heure de suite sur la charité dans une grande assemblée. Cet orateur, le regardant de travers, lui dit : « Que venez-vous faire ici ? y êtes-vous pour la bonne cause ? – Il n'y a point d'effet sans cause, répondit modestement Candide, tout est enchaîné nécessairement et arrangé pour le mieux. Il a fallu que je fusse chassé d'auprès de Mlle Cunégonde, que j'aie passé par les baguettes, et il faut que je demande mon pain jusqu'à ce que je puisse en gagner ; tout cela ne pouvait être autrement. – Mon ami,

lui dit l'orateur, croyez-vous que le pape soit l'Antéchrist ?
– Je ne l'avais pas encore entendu dire, répondit Candide ;
mais qu'il le soit ou qu'il ne le soit pas, je manque de pain.
– Tu ne mérites pas d'en manger, dit l'autre ; va, coquin, va,
misérable, ne m'approche de ta vie. » La femme de l'ora-
teur, ayant mis la tête à la fenêtre et avisant un homme qui
doutait que le pape fût antéchrist, lui répandit sur le chef[1] un
plein… Ô ciel ! à quel excès se porte le zèle de la religion
dans les dames !

Un homme qui n'avait point été baptisé, un bon anabap-
tiste[2], nommé Jacques, vit la manière cruelle et ignomi-
nieuse dont on traitait ainsi un de ses frères, un être à deux
pieds sans plumes, qui avait une âme ; il l'amena chez lui,
le nettoya, lui donna du pain et de la bière, lui fit présent de
deux florins, et voulut même lui apprendre à travailler dans
ses manufactures aux étoffes de Perse qu'on fabrique en
Hollande. Candide, se prosternant presque devant lui,
s'écriait : « Maître Pangloss me l'avait bien dit que tout est
au mieux dans ce monde, car je suis infiniment plus touché
de votre extrême générosité que de la dureté de ce monsieur
à manteau noir et de madame son épouse. »

Le lendemain, en se promenant, il rencontra un gueux
tout couvert de pustules, les yeux morts, le bout du nez
rongé, la bouche de travers, les dents noires, et parlant de la
gorge, tourmenté d'une toux violente et crachant une dent
à chaque effort.

1. Le chef : la tête.
2. Anabaptiste : membre d'une secte qui recommandait le baptême pour les
adultes.

Comment Candide rencontra
son ancien maître de philosophie,
le docteur Pangloss, et ce qui en advint

Candide, plus ému encore de compassion que d'horreur, donna à cet épouvantable gueux les deux florins qu'il avait reçus de son honnête anabaptiste Jacques. Le fantôme le regarda fixement, versa des larmes, et sauta à son cou. Candide, effrayé, recule. «Hélas! dit le misérable à l'autre misérable, ne reconnaissez-vous plus votre cher Pangloss? – Qu'entends-je? Vous, mon cher maître! vous, dans cet état horrible! Quel malheur vous est-il donc arrivé? Pourquoi n'êtes-vous plus dans le plus beau des châteaux? Qu'est devenue Mlle Cunégonde, la perle des filles, le chef-d'œuvre de la nature? – Je n'en peux plus», dit Pangloss. Aussitôt Candide le mena dans l'étable de l'anabaptiste, où il lui fit manger un peu de pain; et quand Pangloss fut refait: «Eh bien! lui dit-il, Cunégonde? – Elle est morte», reprit l'autre. Candide s'évanouit à ce mot; son ami rappela ses sens avec un peu de mauvais vinaigre qui se trouva par hasard dans l'étable. Candide rouvre les yeux. «Cunégonde est morte! Ah! meilleur des mondes, où êtes-vous? Mais de quelle maladie est-elle morte? ne serait-ce point de m'avoir vu chasser du beau château de monsieur son père à grands coups de pied? – Non, dit Pan-

gloss ; elle a été éventrée par des soldats bulgares, après avoir été violée autant qu'on peut l'être ; ils ont cassé la tête à monsieur le baron qui voulait la défendre ; madame la baronne a été coupée en morceaux ; mon pauvre pupille, traité précisément comme sa sœur ; et quant au château, il n'est pas resté pierre sur pierre, pas une grange, pas un mouton, pas un canard, pas un arbre ; mais nous avons été bien vengés, car les Abares en ont fait autant dans une baronnie voisine qui appartenait à un seigneur bulgare. »

À ce discours, Candide s'évanouit encore ; mais revenu à soi, et ayant dit tout ce qu'il devait dire, il s'enquit de la cause et de l'effet, et de la raison suffisante qui avait mis Pangloss dans un si piteux état. « Hélas ! dit l'autre, c'est l'amour ; l'amour, le consolateur du genre humain, le conservateur de l'univers, l'âme de tous les êtres sensibles, le tendre amour. – Hélas ! dit Candide, je l'ai connu, cet amour, ce souverain des cœurs, cette âme de notre âme ; il ne m'a jamais valu qu'un baiser et vingt coups de pied au cul. Comment cette belle cause a-t-elle pu produire en vous un effet si abominable ? »

Pangloss répondit en ces termes : « Ô mon cher Candide ! vous avez connu Paquette, cette jolie suivante de notre auguste baronne ; j'ai goûté dans ses bras les délices du paradis, qui ont produit ces tourments d'enfer dont vous me voyez dévoré ; elle en était infectée[1], elle en est peut-être morte. Paquette tenait ce présent d'un cordelier très savant, qui avait remonté à la source ; car il l'avait eue d'une vieille comtesse, qui l'avait reçue d'un capitaine de cavalerie, qui la devait à une marquise, qui la tenait d'un page, qui l'avait

1. Infectée : Paquette a transmis à Pangloss une maladie sexuelle, la syphilis ou vérole, dont l'origine était discutée.

reçue d'un jésuite, qui, étant novice, l'avait eue en droite ligne d'un des compagnons de Christophe Colomb. Pour moi, je ne la donnerai à personne, car je me meurs.

– Ô Pangloss ! s'écria Candide, voilà une étrange généalogie ! n'est-ce pas le diable qui en fut la souche ? – Point du tout, répliqua ce grand homme ; c'était une chose indispensable dans le meilleur des mondes, un ingrédient nécessaire ; car si Colomb n'avait pas attrapé, dans une île de l'Amérique, cette maladie qui empoisonne la source de la génération, qui souvent même empêche la génération, et qui est évidemment l'opposé du grand but de la nature, nous n'aurions ni le chocolat ni la cochenille ; il faut encore observer que jusqu'aujourd'hui, dans notre continent, cette maladie nous est particulière, comme la controverse. Les Turcs, les Indiens, les Persans, les Chinois, les Siamois, les Japonais, ne la connaissent pas encore ; mais il y a une raison suffisante pour qu'ils la connaissent à leur tour dans quelques siècles. En attendant, elle a fait un merveilleux progrès parmi nous, et surtout dans ces grandes armées composées d'honnêtes stipendiaires[1], bien élevés, qui décident du destin des États ; on peut assurer que, quand trente mille hommes combattent en bataille rangée contre des troupes égales en nombre, il y a environ vingt mille vérolés de chaque côté.

– Voilà qui est admirable, dit Candide, mais il faut vous faire guérir. – Et comment le puis-je ? dit Pangloss ; je n'ai pas le sou, mon ami ; et dans toute l'étendue de ce globe, on ne peut ni se faire saigner ni prendre un lavement sans payer, ou sans qu'il y ait quelqu'un qui paye pour nous. »

Ce dernier discours détermina Candide ; il alla se jeter

1. Stipendiaires : soldats mercenaires.

aux pieds de son charitable anabaptiste Jacques, et lui fit
une peinture si touchante de l'état où son ami était réduit
que le bonhomme n'hésita pas à recueillir le docteur Pan-
gloss ; il le fit guérir à ses dépens. Pangloss, dans la cure[1],
ne perdit qu'un œil et une oreille. Il écrivait bien et savait
parfaitement l'arithmétique. L'anabaptiste Jacques en fit
son teneur de livres. Au bout de deux mois, étant obligé
d'aller à Lisbonne pour les affaires de son commerce, il
mena dans son vaisseau ses deux philosophes. Pangloss lui
expliqua comment tout était on ne peut mieux. Jacques
n'était pas de cet avis. « Il faut bien, disait-il, que les
hommes aient un peu corrompu la nature, car ils ne sont
point nés loups, et ils sont devenus loups. Dieu ne leur a
donné ni canon de vingt-quatre ni baïonnettes, et ils se sont
fait des baïonnettes et des canons pour se détruire. Je pour-
rais mettre en ligne de compte les banqueroutes, et la jus-
tice qui s'empare des biens des banqueroutiers pour en frus-
trer les créanciers. – Tout cela était indispensable, répliquait
le docteur borgne, et les malheurs particuliers font le bien
général, de sorte que plus il y a de malheurs particuliers, et
plus tout est bien. » Tandis qu'il raisonnait, l'air s'obscurcit,
les vents soufflèrent des quatre coins du monde et le vais-
seau fut assailli de la plus horrible tempête à la vue du port
de Lisbonne.

1. La cure : le traitement.

Tempête, naufrage, tremblement de terre, et ce qui advint du docteur Pangloss, de Candide et de l'anabaptiste Jacques

La moitié des passagers, affaiblis, expirants de ces angoisses inconcevables que le roulis d'un vaisseau porte dans les nerfs et dans toutes les humeurs du corps agitées en sens contraire, n'avait pas même la force de s'inquiéter du danger. L'autre moitié jetait des cris et faisait des prières ; les voiles étaient déchirées, les mâts brisés, le vaisseau entrouvert. Travaillait qui pouvait, personne ne s'entendait, personne ne commandait. L'anabaptiste aidait un peu à la manœuvre ; il était sur le tillac ; un matelot furieux le frappe rudement et l'étend sur les planches ; mais du coup qu'il lui donna il eut lui-même une si violente secousse qu'il tomba hors du vaisseau la tête la première. Il restait suspendu et accroché à une partie de mât rompue. Le bon Jacques court à son secours, l'aide à remonter, et de l'effort qu'il fit il est précipité dans la mer à la vue du matelot, qui le laissa périr, sans daigner seulement le regarder. Candide approche, voit son bienfaiteur qui reparaît un moment et qui est englouti pour jamais. Il veut se jeter après lui dans la mer ; le philosophe Pangloss l'en empêche, en lui prouvant que la rade de Lisbonne avait été formée exprès pour que cet anabaptiste s'y noyât. Tandis qu'il le prouvait *a priori,* le vaisseau s'en-

trouvre, tout périt à la réserve de Pangloss, de Candide, et de ce brutal de matelot qui avait noyé le vertueux anabaptiste ; le coquin nagea heureusement jusqu'au rivage, où Pangloss et Candide furent portés sur une planche.

Quand ils furent revenus un peu à eux, ils marchèrent vers Lisbonne ; il leur restait quelque argent, avec lequel ils espéraient se sauver de la faim après avoir échappé à la tempête.

À peine ont-ils mis le pied dans la ville en pleurant la mort de leur bienfaiteur, qu'ils sentent la terre trembler sous leurs pas ; la mer s'élève en bouillonnant dans le port, et brise les vaisseaux qui sont à l'ancre. Des tourbillons de flammes et de cendres couvrent les rues et les places publiques ; les maisons s'écroulent, les toits sont renversés sur les fondements, et les fondements se dispersent ; trente mille habitants de tout âge et de tout sexe sont écrasés sous des ruines. Le matelot disait en sifflant et en jurant : « Il y aura quelque chose à gagner ici. – Quelle peut être la raison suffisante de ce phénomène ? disait Pangloss. – Voici le dernier jour du monde ! » s'écriait Candide. Le matelot court incontinent[1] au milieu des débris, affronte la mort pour trouver de l'argent, en trouve, s'en empare, s'enivre, et, ayant cuvé son vin, achète les faveurs de la première fille de bonne volonté qu'il rencontre sur les ruines des maisons détruites et au milieu des mourants et des morts. Pangloss le tirait cependant par la manche. « Mon ami, lui disait-il, cela n'est pas bien, vous manquez à la raison universelle, vous prenez mal votre temps. – Tête et sang ! répondit l'autre, je suis matelot et né à Batavia[2] ; j'ai marché quatre

1. Incontinent : aussitôt.
2. Batavia : ancien nom de Djakarta en Indonésie, alors colonie hollandaise.

fois sur le crucifix dans quatre voyages au Japon ; tu as bien trouvé ton homme avec ta raison universelle ! »

Quelques éclats de pierre avaient blessé Candide ; il était étendu dans la rue et couvert de débris. Il disait à Pangloss : « Hélas ! procure-moi un peu de vin et d'huile ; je me meurs. – Ce tremblement de terre n'est pas une chose nouvelle, répondit Pangloss ; la ville de Lima éprouva les mêmes secousses en Amérique l'année passée ; mêmes causes, mêmes effets : il y a certainement une traînée de soufre sous terre depuis Lima jusqu'à Lisbonne. – Rien n'est plus probable, dit Candide ; mais, pour Dieu, un peu d'huile et de vin. – Comment, probable ? répliqua le philosophe ; je soutiens que la chose est démontrée. » Candide perdit connaissance, et Pangloss lui apporta un peu d'eau d'une fontaine voisine.

Le lendemain, ayant trouvé quelques provisions de bouche en se glissant à travers des décombres, ils réparèrent un peu leurs forces. Ensuite, ils travaillèrent comme les autres à soulager les habitants échappés à la mort. Quelques citoyens secourus par eux leur donnèrent un aussi bon dîner qu'on le pouvait dans un tel désastre. Il est vrai que le repas était triste ; les convives arrosaient leur pain de leurs larmes ; mais Pangloss les consola en les assurant que les choses ne pouvaient être autrement : « Car, dit-il, tout ceci est ce qu'il y a de mieux. Car, s'il y a un volcan à Lisbonne, il ne pouvait être ailleurs. Car il est impossible que les choses ne soient pas où elles sont. Car tout est bien. »

Un petit homme noir, familier de l'Inquisition[1], lequel était à côté de lui, prit poliment la parole et dit : « Appa-

1. Inquisition : tribunal religieux chargé de punir les hérétiques ; le *familier* désigne un grade.

remment que monsieur ne croit pas au péché originel ; car, si tout est au mieux, il n'y a donc eu ni chute ni punition.

– Je demande très humblement pardon à Votre Excellence, répondit Pangloss encore plus poliment, car la chute de l'homme et la malédiction entraient nécessairement dans le meilleur des mondes possibles. – Monsieur ne croit donc pas à la liberté ? dit le familier. – Votre Excellence m'excusera, dit Pangloss ; la liberté peut subsister avec la nécessité absolue ; car il était nécessaire que nous fussions libres ; car enfin la volonté déterminée… » Pangloss était au milieu de sa phrase, quand le familier fit un signe de tête à son esta-fier qui lui servait à boire du vin de Porto, ou d'Oporto.

Comment on fit un bel auto-da-fé[1]
pour empêcher les tremblements de terre,
et comment Candide fut fessé

Après le tremblement de terre qui avait détruit les trois quarts de Lisbonne, les sages du pays n'avaient pas trouvé un moyen plus efficace pour prévenir une ruine totale que de donner au peuple un bel auto-da-fé ; il était décidé par l'université de Coïmbre que le spectacle de quelques personnes brûlées à petit feu, en grande cérémonie, est un secret infaillible pour empêcher la terre de trembler.

On avait en conséquence saisi un Biscayen convaincu d'avoir épousé sa commère[2], et deux Portugais qui en mangeant un poulet en avaient arraché le lard[3] : on vint lier après le dîner le docteur Pangloss et son disciple Candide, l'un pour avoir parlé, et l'autre pour avoir écouté avec un air d'approbation : tous deux furent menés séparément dans des appartements d'une extrême fraîcheur, dans lesquels on n'était jamais incommodé du soleil ; huit jours après ils furent tous deux revêtus d'un *san-benito*[4], et on orna leurs

1. Auto-da-fé : supplice par le feu pour punir les hérétiques.
2. Commère : la marraine de son filleul pour le parrain.
3. Arraché le lard : parce qu'ils représentent une religion qui refuse de manger du porc ; ici les juifs.
4. *San-benito* : casaque diversement décorée dont on recouvrait les condamnés.

têtes de mitres[1] de papier : la mitre et le san-benito de Candide étaient peints de flammes renversées et de diables qui n'avaient ni queues ni griffes ; mais les diables de Pangloss portaient griffes et queues, et les flammes étaient droites. Ils marchèrent en procession ainsi vêtus, et entendirent un sermon très pathétique, suivi d'une belle musique en faux-bourdon[2]. Candide fut fessé en cadence, pendant qu'on chantait ; le Biscayen et les deux hommes qui n'avaient point voulu manger de lard furent brûlés, et Pangloss fut pendu, quoique ce ne soit pas la coutume. Le même jour la terre trembla de nouveau avec un fracas épouvantable.

Candide, épouvanté, interdit, éperdu, tout sanglant, tout palpitant, se disait à lui-même. « Si c'est ici le meilleur des mondes possibles, que sont donc les autres ? Passe encore si je n'étais que fessé, je l'ai été chez les Bulgares. Mais, ô mon cher Pangloss ! le plus grand des philosophes, faut-il vous avoir vu pendre sans que je sache pourquoi ! Ô mon cher anabaptiste, le meilleur des hommes, faut-il que vous ayez été noyé dans le port ! Ô Mlle Cunégonde ! la perle des filles, faut-il qu'on vous ait fendu le ventre ! »

Il s'en retournait, se soutenant à peine, prêché, fessé, absous et béni, lorsqu'une vieille l'aborda et lui dit :

« Mon fils, prenez courage, suivez-moi. »

1. Mitres : coiffures pointues.
2. En faux-bourdon : chant d'église à dominante de basse ; plain-chant.

7

Comment une vieille prit soin de Candide, et comment il retrouva ce qu'il aimait

Candide ne prit point courage, mais il suivit la vieille dans une masure ; elle lui donna un pot de pommade pour se frotter, lui laissa à manger et à boire ; elle lui montra un petit lit assez propre ; il y avait auprès du lit un habit complet. «Mangez, buvez, dormez, lui dit-elle, et que Notre-Dame d'Atocha, Mgr saint Antoine de Padoue et Mgr saint Jacques de Compostelle prennent soin de vous : je reviendrai demain.» Candide, toujours étonné de tout ce qu'il avait vu, de tout ce qu'il avait souffert, et encore plus de la charité de la vieille, voulut lui baiser la main. «Ce n'est pas ma main qu'il faut baiser, dit la vieille ; je reviendrai demain. Frottez-vous de pommade, mangez et dormez.»

Candide, malgré tant de malheurs, mangea et dormit. Le lendemain la vieille lui apporte à déjeuner, visite son dos, le frotte elle-même d'une autre pommade ; elle lui apporte ensuite à dîner ; elle revient sur le soir, et apporte à souper. Le surlendemain elle fit encore les mêmes cérémonies. «Qui êtes-vous ? lui disait toujours Candide ; qui vous a inspiré tant de bonté ? quelles grâces puis-je vous rendre ?» La bonne femme ne répondait jamais rien ; elle revint sur le soir

et n'apporta point à souper. «Venez avec moi, dit-elle, et ne dites mot.» Elle le prend sous le bras, et marche avec lui dans la campagne environ un quart de mille : ils arrivent à une maison isolée, entourée de jardins et de canaux. La vieille frappe à une petite porte. On ouvre ; elle mène Candide, par un escalier dérobé, dans un cabinet doré, le laisse sur un canapé de brocart, referme la porte, et s'en va. Candide croyait rêver, et regardait toute sa vie comme un songe funeste, et le moment présent comme un songe agréable.

La vieille reparut bientôt ; elle soutenait avec peine une femme tremblante, d'une taille majestueuse, brillante de pierreries et couverte d'un voile. «Ôtez ce voile», dit la vieille à Candide. Le jeune homme approche ; il lève le voile d'une main timide. Quel moment ! quelle surprise ! il croit voir Mlle Cunégonde ; il la voyait en effet, c'était elle-même. La force lui manque, il ne peut proférer une parole, il tombe à ses pieds. Cunégonde tombe sur le canapé. La vieille les accable d'eaux spiritueuses ; ils reprennent leurs sens, ils se parlent : ce sont d'abord des mots entrecoupés, des demandes et des réponses qui se croisent, des soupirs, des larmes, des cris. La vieille leur recommande de faire moins de bruit, et les laisse en liberté. «Quoi ! c'est vous, lui dit Candide, vous vivez ! Je vous retrouve en Portugal ! On ne vous a donc pas violée ? On ne vous a point fendu le ventre, comme le philosophe Pangloss me l'avait assuré ? – Si fait, dit la belle Cunégonde ; mais on ne meurt pas toujours de ces deux accidents. – Mais votre père et votre mère ont-ils été tués ? – Il n'est que trop vrai, dit Cunégonde en pleurant. – Et votre frère ? – Mon frère a été tué aussi. – Et pourquoi êtes-vous en Portugal ? et comment avez-vous su que j'y étais ? et par quelle étrange aventure m'avez-vous fait conduire dans cette maison ? – Je

vous dirai tout cela, répliqua la dame ; mais il faut auparavant que vous m'appreniez tout ce qui vous est arrivé depuis le baiser innocent que vous me donnâtes et les coups de pied que vous reçûtes. »

Candide lui obéit avec un profond respect ; et quoiqu'il fût interdit[1], quoique sa voix fût faible et tremblante, quoique l'échine lui fît encore un peu mal, il lui raconta de la manière la plus naïve tout ce qu'il avait éprouvé depuis le moment de leur séparation. Cunégonde levait les yeux au ciel ; elle donna des larmes à la mort du bon anabaptiste et de Pangloss ; après quoi elle parla en ces termes à Candide, qui ne perdait pas une parole, et qui la dévorait des yeux.

1. Interdit : frappé d'étonnement.

8

Histoire de Cunégonde

«**J**'étais dans mon lit et je dormais profondément, quand il plut au ciel d'envoyer les Bulgares dans notre beau château de Thunder-ten-tronckh ; ils égorgèrent mon père et mon frère, et coupèrent ma mère par morceaux. Un grand Bulgare, haut de six pieds, voyant qu'à ce spectacle j'avais perdu connaissance, se mit à me violer ; cela me fit revenir, je repris mes sens, je criai, je me débattis, je mordis, j'égratignai, je voulais arracher les yeux à ce grand Bulgare, ne sachant pas que tout ce qui arrivait dans le château de mon père était une chose d'usage : le brutal me donna un coup de couteau dans le flanc gauche dont je porte encore la marque. – Hélas ! j'espère bien la voir, dit le naïf Candide. – Vous la verrez, dit Cunégonde ; mais continuons. – Continuez», dit Candide.

Elle reprit ainsi le fil de son histoire : «Un capitaine bulgare entra, il me vit toute sanglante, et le soldat ne se dérangeait pas. Le capitaine se mit en colère du peu de respect que lui témoignait ce brutal, et le tua sur mon corps. Ensuite il me fit panser, et m'emmena prisonnière de guerre dans son tier[1]. Je blanchissais le peu de chemises qu'il ava

1. Quartier : cantonnement militaire.

sa cuisine ; il me trouvait fort jolie, il faut l'avouer ; et je ne nierai pas qu'il ne fût très bien fait, et qu'il n'eût la peau blanche et douce ; d'ailleurs peu d'esprit, peu de philosophie : on voyait bien qu'il n'avait pas été élevé par le docteur Pangloss. Au bout de trois mois, ayant perdu tout son argent et s'étant dégoûté de moi, il me vendit à un Juif nommé don Issacar, qui trafiquait en Hollande et en Portugal, et qui aimait passionnément les femmes. Ce Juif s'attacha beaucoup à ma personne, mais il ne pouvait en triompher ; je lui ai mieux résisté qu'au soldat bulgare. Une personne d'honneur peut être violée une fois, mais sa vertu s'en affermit. Le Juif, pour m'apprivoiser, me mena dans cette maison de campagne que vous voyez. J'avais cru jusque-là qu'il n'y avait rien sur la terre de si beau que le château de Thunder-ten-tronckh ; j'ai été détrompée.

« Le grand inquisiteur m'aperçut un jour à la messe, il me lorgna beaucoup, et me fit dire qu'il avait à me parler pour des affaires secrètes. Je fus conduite à son palais ; je lui appris ma naissance ; il me représenta combien il était au-dessous de mon rang d'appartenir à un Israélite. On proposa de sa part à don Issacar de me céder à monseigneur. Don Issacar, qui est le banquier de la cour et homme de crédit, n'en voulut rien faire. L'inquisiteur le menaça d'un auto-da-fé. Enfin mon Juif, intimidé, conclut un marché, par lequel la maison et moi leur appartiendraient à tous deux en commun ; que le Juif aurait pour lui les lundis, mercredis et le jour du sabbat[1], et que l'inquisiteur aurait les autres jours de la semaine. Il y a six mois que cette convention subsiste. Ce n'a pas été sans querelles ; car souvent il a été indécis si la nuit du samedi au dimanche appartenait à

1. Sabbat : le samedi, jour de repos pour le judaïsme.

l'ancienne loi ou à la nouvelle. Pour moi, j'ai résisté jusqu'à présent à toutes les deux, et je crois que c'est pour cette raison que j'ai toujours été aimée.

«Enfin, pour détourner le fléau des tremblements de terre, et pour intimider don Issacar, il plut à monseigneur l'inquisiteur de célébrer un auto-da-fé. Il me fit l'honneur de m'y inviter. Je fus très bien placée; on servit aux dames des rafraîchissements entre la messe et l'exécution. Je fus, à la vérité, saisie d'horreur en voyant brûler ces deux Juifs et cet honnête Biscayen qui avait épousé sa commère; mais quelle fut ma surprise, mon effroi, mon trouble, quand je vis, dans un san-benito et sous une mitre, une figure qui ressemblait à celle de Pangloss! Je me frottai les yeux, je regardai attentivement, je le vis pendre; je tombai en faiblesse. À peine reprenais-je mes sens que je vous vis dépouillé tout nu : ce fut là le comble de l'horreur, de la consternation, de la douleur, du désespoir. Je vous dirai, avec vérité, que votre peau est encore plus blanche et d'un incarnat plus parfait que celle de mon capitaine des Bulgares. Cette vue redoubla tous les sentiments qui m'accablaient, qui me dévoraient. Je m'écriai, je voulus dire : "Arrêtez, barbares!" mais la voix me manqua, et mes cris auraient été inutiles. Quand vous eûtes été bien fessé : "Comment se peut-il faire, disais-je, que l'aimable Candide et le sage Pangloss se trouvent à Lisbonne, l'un pour recevoir cent coups de fouet, et l'autre pour être pendu par l'ordre de monseigneur l'inquisiteur dont je suis la bien-aimée? Pangloss m'a donc bien cruellement trompée quand il me disait que tout va le mieux du monde."

«Agitée, éperdue, tantôt hors de moi-même prête de mourir de faiblesse, j'avais la tête remp sacre de mon père, de ma mère, de mon frère, de

de mon vilain soldat bulgare, du coup de couteau qu'il me donna, de ma servitude, de mon métier de cuisinière, de mon capitaine bulgare, de mon vilain don Issacar, de mon abominable inquisiteur, de la pendaison du docteur Pangloss, de ce grand *miserere* en faux-bourdon pendant lequel on vous fessait, et surtout du baiser que je vous avais donné derrière un paravent, le jour que je vous avais vu pour la dernière fois. Je louai Dieu qui vous ramenait à moi par tant d'épreuves. Je recommandai à ma vieille d'avoir soin de vous, et de vous amener ici dès qu'elle le pourrait. Elle a très bien exécuté ma commission ; j'ai goûté le plaisir inexprimable de vous revoir, de vous entendre, de vous parler. Vous devez avoir une faim dévorante ; j'ai grand appétit ; commençons par souper. »

Les voilà qui se mettent tous deux à table ; et après le souper, ils se replacent sur ce beau canapé dont on a déjà parlé ; ils y étaient quand le signor don Issacar, l'un des maîtres de la maison, arriva. C'était le jour du sabbat. Il venait jouir de ses droits, et expliquer son tendre amour.

Ce qui advint de Cunégonde, de Candide, du grand Inquisiteur et d'un Juif

Cet Issacar était le plus colérique Hébreu qu'on eût vu dans Israël depuis la captivité en Babylone. «Quoi! dit-il, chienne de Galiléenne, ce n'est pas assez de monsieur l'inquisiteur? Il faut que ce coquin partage aussi avec moi?» En disant cela il tire un long poignard dont il était toujours pourvu, et ne croyant pas que son adverse partie eût des armes, il se jette sur Candide; mais notre bon Westphalien avait reçu une belle épée de la vieille avec l'habit complet. Il tire son épée, quoiqu'il eût les mœurs fort douces, et vous étend l'Israélite roide mort sur le carreau, aux pieds de la belle Cunégonde.

«Sainte Vierge! s'écria-t-elle, qu'allons-nous devenir? Un homme tué chez moi! si la justice vient, nous sommes perdus. – Si Pangloss n'avait pas été pendu, dit Candide, il nous donnerait un bon conseil dans cette extrémité, car c'était un grand philosophe. À son défaut consultons la vieille.» Elle était fort prudente, et commençait à dire son avis, quand une autre petite porte s'ouvrit. Il était une heure après minuit, c'était le commencement du dimanche. Ce jour appartenait à monseigneur l'inquisiteur. Il entre et voit le fessé Candide l'épée à la main, un mort étendu par terre, Cunégonde effarée, et la vieille donnant des conseils.

Voici dans ce moment ce qui se passa dans l'âme de Candide, et comment il raisonna : « Si ce saint homme appelle du secours, il me fera infailliblement brûler ; il pourra en faire autant de Cunégonde ; il m'a fait fouetter impitoyablement ; il est mon rival ; je suis en train de tuer, il n'y a pas à balancer. » Ce raisonnement fut net et rapide ; et sans donner le temps à l'inquisiteur de revenir de sa surprise, il le perce d'outre en outre, et le jette à côté du Juif. « En voici bien d'une autre, dit Cunégonde ; il n'y a plus de rémission ; nous sommes excommuniés, notre dernière heure est venue. Comment avez-vous fait, vous qui êtes né si doux, pour tuer en deux minutes un Juif et un prélat ? – Ma belle demoiselle, répondit Candide, quand on est amoureux, jaloux et fouetté par l'Inquisition, on ne se connaît plus. »

La vieille prit alors la parole et dit : « Il y a trois chevaux andalous dans l'écurie, avec leurs selles et leurs brides : que le brave Candide les prépare ; madame a des moyadors[1] et des diamants : montons vite à cheval, quoique je ne puisse me tenir que sur une fesse, et allons à Cadix ; il fait le plus beau temps du monde, et c'est un grand plaisir de voyager pendant la fraîcheur de la nuit. »

Aussitôt Candide selle les trois chevaux. Cunégonde, la vieille et lui font trente milles d'une traite. Pendant qu'ils s'éloignaient, la Sainte-Hermandad[2] arrive dans la maison ; on enterre monseigneur dans une belle église, et on jette Issacar à la voirie.

Candide, Cunégonde et la vieille étaient déjà dans la petite ville d'Avacéna, au milieu des montagnes de la Sierra-Morena ; et ils parlaient ainsi dans un cabaret.

1. Moyadors : ancienne monnaie d'or du Portugal.
2. Sainte-Hermandad : police religieuse chargée d'assurer la sécurité.

Dans quelle détresse
Candide, Cunégonde et la vieille
arrivent à Cadix,
et de leur embarquement

« Qui a donc pu me voler mes pistoles et mes diamants ?
disait en pleurant Cunégonde ; de quoi vivrons-nous ?
comment ferons-nous ? où trouver des inquisiteurs et des
Juifs qui m'en donnent d'autres ? – Hélas ! dit la vieille, je
soupçonne fort un révérend père cordelier qui coucha hier
dans la même auberge que nous à Badajoz ; Dieu me garde
de faire un jugement téméraire ! mais il entra deux fois dans
notre chambre, et il partit longtemps avant nous. – Hélas !
dit Candide, le bon Pangloss m'avait souvent prouvé que les
biens de la terre sont communs à tous les hommes, que cha-
cun y a un droit égal. Ce cordelier devait bien, suivant ces
principes, nous laisser de quoi achever notre voyage. Il ne
vous reste donc rien du tout, ma belle Cunégonde ? – Pas un
maravédis, dit-elle. – Quel parti prendre ? dit Candide. –
Vendons un des chevaux, dit la vieille ; je monterai en
croupe derrière mademoiselle, quoique je ne puisse me
tenir que sur une fesse, et nous arriverons à Cadix. »

Il y avait dans la même hôtellerie un prieur de bénédic-
tins ; il acheta le cheval bon marché. Candide, Cunégonde
et la vieille passèrent par Lucena, par Chillas, par Lebrixa,
et arrivèrent enfin à Cadix. On y équipait une flotte, et on y

assemblait des troupes pour mettre à la raison les révérends pères jésuites du Paraguay, qu'on accusait d'avoir fait révolter une de leurs hordes contre les rois d'Espagne et de Portugal, auprès de la ville du Saint Sacrement. Candide, ayant servi chez les Bulgares, fit l'exercice bulgarien devant le général de la petite armée avec tant de grâce, de célérité, d'adresse, de fierté, d'agilité, qu'on lui donna une compagnie d'infanterie à commander. Le voilà capitaine ; il s'embarque avec Mlle Cunégonde, la vieille, deux valets et les deux chevaux andalous qui avaient appartenu à M. le grand inquisiteur de Portugal.

Pendant toute la traversée ils raisonnèrent beaucoup sur la philosophie du pauvre Pangloss. « Nous allons dans un autre univers, disait Candide ; c'est dans celui-là sans doute que tout est bien. Car il faut avouer qu'on pourrait gémir un peu de ce qui se passe dans le nôtre en physique et en morale. – Je vous aime de tout mon cœur, disait Cunégonde ; mais j'ai encore l'âme tout effarouchée de ce que j'ai vu, de ce que j'ai éprouvé. – Tout ira bien, répliquait Candide ; la mer de ce nouveau monde vaut déjà mieux que les mers de notre Europe ; elle est plus calme, les vents plus constants. C'est certainement le nouveau monde qui est le meilleur des univers possibles. – Dieu le veuille ! disait Cunégonde ; mais j'ai été si horriblement malheureuse dans le mien que mon cœur est presque fermé à l'espérance. – Vous vous plaignez, leur dit la vieille ; hélas ! vous n'avez pas éprouvé des infortunes telles que les miennes. » Cunégonde se mit presque à rire, et trouva cette bonne femme fort plaisante de prétendre être plus malheureuse qu'elle. « Hélas ! lui dit-elle, ma bonne, à moins que vous n'ayez été violée par deux Bulgares, que vous n'ayez reçu deux coups de couteau dans le ventre, qu'on n'ait démoli deux de vos

châteaux, qu'on n'ait égorgé à vos yeux deux mères et deux pères, et que vous n'ayez vu deux de vos amants fouettés dans un auto-da-fé, je ne vois pas que vous puissiez l'emporter sur moi; ajoutez que je suis née baronne avec soixante et douze quartiers, et que j'ai été cuisinière. – Mademoiselle, répondit la vieille, vous ne savez pas quelle est ma naissance; et si je vous montrais mon derrière, vous ne parleriez pas comme vous faites, et vous suspendriez votre jugement. » Ce discours fit naître une extrême curiosité dans l'esprit de Cunégonde et de Candide. La vieille leur parla en ces termes.

Histoire de la vieille

« **J**e n'ai pas eu toujours les yeux éraillés et bordés d'écar-
late ; mon nez n'a pas toujours touché à mon menton, et je
n'ai pas toujours été servante. Je suis la fille du pape Urbain
X, et de la princesse de Palestrine. On m'éleva jusqu'à qua-
torze ans dans un palais auquel tous les châteaux de vos
barons allemands n'auraient pas servi d'écurie ; et une de
mes robes valait mieux que toutes les magnificences de la
Westphalie. Je croissais en beauté, en grâces, en talents, au
milieu des plaisirs, des respects et des espérances. J'inspi-
rais déjà de l'amour, ma gorge se formait ; et quelle gorge !
blanche, ferme, taillée comme celle de la Vénus de Médi-
cis ; et quels yeux ! quelles paupières ! quels sourcils noirs !
quelles flammes brillaient dans mes deux prunelles, et effa-
çaient la scintillation des étoiles, comme me disaient les
poètes du quartier. Les femmes qui m'habillaient et qui me
déshabillaient tombaient en extase en me regardant
par-devant et par-derrière, et tous les hommes auraient
voulu être à leur place.

« Je fus fiancée à un prince souverain de Massa-Carrara.
Quel prince ! aussi beau que moi, pétri de douceur et d'agré-
ments, brillant d'esprit et brûlant d'amour. Je l'aimais
comme on aime pour la première fois, avec idolâtrie, avec

emportement. Les noces furent préparées. C'était une pompe, une magnificence inouïe; c'étaient des fêtes, des carrousels, des opera-buffa continuels; et toute l'Italie fit pour moi des sonnets dont il n'y eut pas un seul de passable. Je touchais au moment de mon bonheur, quand une vieille marquise qui avait été maîtresse de mon prince l'invita à prendre du chocolat chez elle. Il mourut en moins de deux heures avec des convulsions épouvantables. Mais ce n'est qu'une bagatelle. Ma mère, au désespoir, et bien moins affligée que moi, voulut s'arracher pour quelque temps à un séjour si funeste. Elle avait une très belle terre auprès de Gaète. Nous nous embarquâmes sur une galère du pays, dorée comme l'autel de Saint-Pierre de Rome. Voilà qu'un corsaire de Salé fond sur nous et nous aborde. Nos soldats se défendirent comme des soldats du pape : ils se mirent tous à genoux en jetant leurs armes, et en demandant au corsaire une absolution *in articulo mortis*[1].

«Aussitôt on les dépouilla nus comme des singes, et ma mère aussi, nos filles d'honneur aussi, et moi aussi. C'est une chose admirable que la diligence avec laquelle ces messieurs déshabillent le monde. Mais ce qui me surprit davantage, c'est qu'ils nous mirent à tous le doigt dans un endroit où nous autres femmes nous ne nous laissons mettre d'ordinaire que des canules. Cette cérémonie me paraissait bien étrange : voilà comme on juge de tout quand on n'est pas sorti de son pays. J'appris bientôt que c'était pour voir si nous n'avions pas caché là quelques diamants : c'est un usage établi de temps immémorial parmi les nations policées qui courent sur mer. J'ai su que MM. les religieux chevaliers de Malte n'y manquent jamais quand ils prennent

1. *In articulo mortis* : à l'article de la mort, c'est-à-dire destinée aux mourants.

des Turcs et des Turques ; c'est une loi du droit des gens à laquelle on n'a jamais dérogé.

« Je ne vous dirai point combien il est dur pour une jeune princesse d'être menée esclave à Maroc avec sa mère. Vous concevez assez tout ce que nous eûmes à souffrir dans le vaisseau corsaire. Ma mère était encore très belle ; nos filles d'honneur, nos simples femmes de chambre, avaient plus de charmes qu'on n'en peut trouver dans toute l'Afrique. Pour moi, j'étais ravissante, j'étais la beauté, la grâce même, et j'étais pucelle ; je ne le fus pas longtemps : cette fleur qui avait été réservée pour le beau prince de Massa-Carrara me fut ravie par le capitaine corsaire ; c'était un nègre abominable, qui croyait encore me faire beaucoup d'honneur. Certes, il fallait que Mme la princesse de Palestrine et moi fussions bien fortes pour résister à tout ce que nous éprouvâmes jusqu'à notre arrivée à Maroc. Mais passons ; ce sont des choses si communes qu'elles ne valent pas la peine qu'on en parle.

« Maroc nageait dans le sang quand nous arrivâmes. Cinquante fils de l'empereur Muley-Ismaël avaient chacun leur parti : ce qui produisait en effet cinquante guerres civiles, de noirs contre noirs, de noirs contre basanés, de basanés contre basanés, de mulâtres contre mulâtres. C'était un carnage continuel dans toute l'étendue de l'empire.

« À peine fûmes-nous débarqués que des noirs d'une faction ennemie de celle de mon corsaire se présentèrent pour lui enlever son butin. Nous étions, après les diamants et l'or, ce qu'il avait de plus précieux. Je fus témoin d'un combat tel que vous n'en voyez jamais dans vos climats d'Europe. Les peuples septentrionaux n'ont pas le sang assez ardent. Ils n'ont pas la rage des femmes au point où elle est commune en Afrique. Il semble que vos Européens aient du

lait dans les veines ; c'est du vitriol, c'est du feu qui coule dans celles des habitants du mont Atlas et des pays voisins. On combattit avec la fureur des lions, des tigres et des serpents de la contrée, pour savoir à qui nous aurait. Un Maure saisit ma mère par le bras droit, le lieutenant de mon capitaine la retint par le bras gauche ; un soldat maure la prit par une jambe, un de nos pirates la tenait par l'autre. Nos filles se trouvèrent presque toutes en un moment tirées ainsi à quatre soldats. Mon capitaine me tenait cachée derrière lui. Il avait le cimeterre au poing, et tuait tout ce qui s'opposait à sa rage. Enfin, je vis toutes nos Italiennes et ma mère déchirées, coupées, massacrées par les monstres qui se les disputaient. Les captifs mes compagnons, ceux qui les avaient pris, soldats, matelots, noirs, basanés, blancs, mulâtres, et enfin mon capitaine, tout fut tué ; et je demeurai mourante sur un tas de morts. Des scènes pareilles se passaient, comme on sait, dans l'étendue de plus de trois cents lieues, sans qu'on manquât aux cinq prières par jour ordonnées par Mahomet.

« Je me débarrassai avec beaucoup de peine de la foule de tant de cadavres sanglants entassés, et je me traînai sous un grand oranger au bord d'un ruisseau voisin ; j'y tombai d'effroi, de lassitude, d'horreur, de désespoir et de faim. Bientôt après, mes sens accablés se livrèrent à un sommeil qui tenait plus de l'évanouissement que du repos. J'étais dans cet état de faiblesse et d'insensibilité, entre la mort et la vie, quand je me sentis pressée de quelque chose qui s'agitait sur mon corps. J'ouvris les yeux, je vis un homme blanc et de bonne mine qui soupirait, et qui disait entre ses dents : *O che sciagura d'essere senza c...* ![1]

1. « Oh quel malheur d'être sans c... ».

Suite des malheurs de la vieille

« Étonnée et ravie d'entendre la langue de ma patrie, et non moins surprise des paroles que proférait cet homme, je lui répondis qu'il y avait de plus grands malheurs que celui dont il se plaignait. Je l'instruisis en peu de mots des horreurs que j'avais essuyées, et je retombai en faiblesse. Il m'emporta dans une maison voisine, me fit mettre au lit, me fit donner à manger, me servit, me consola, me flatta, me dit qu'il n'avait rien vu de si beau que moi, et que jamais il n'avait tant regretté ce que personne ne pouvait lui rendre. "Je suis né à Naples, me dit-il, on y chaponne[1] deux ou trois mille enfants tous les ans ; les uns en meurent, les autres acquièrent une voix plus belle que celle des femmes, les autres vont gouverner les États. On me fit cette opération avec un très grand succès, et j'ai été musicien de la chapelle de Mme la princesse de Palestrine. – De ma mère ! m'écriai-je. – De votre mère ! s'écria-t-il en pleurant. Quoi ! vous seriez cette jeune princesse que j'ai élevée jusqu'à l'âge de six ans, et qui promettait déjà d'être aussi belle que

1. Chaponner : soumettre à la castration ; se dit pour les animaux.

vous êtes ? – C'est moi-même ; ma mère est à quatre cents pas d'ici, coupée en quartiers sous un tas de morts…"

« Je lui contai tout ce qui m'était arrivé ; il me conta aussi ses aventures, et m'apprit comment il avait été envoyé chez le roi de Maroc par une puissance chrétienne, pour conclure avec ce monarque un traité, par lequel on lui fournirait de la poudre, des canons et des vaisseaux, pour l'aider à exterminer le commerce des autres chrétiens. "Ma mission est faite, me dit cet honnête eunuque ; je vais m'embarquer à Ceuta, et je vous ramènerai en Italie. *Ma che sciagura d'essere senza c… !*"

« Je le remerciai avec des larmes d'attendrissement ; et au lieu de me mener en Italie, il me conduisit à Alger, et me vendit au dey[1] de cette province. À peine fus-je vendue que cette peste qui a fait le tour de l'Afrique, de l'Asie et de l'Europe, se déclara dans Alger avec fureur. Vous avez vu des tremblements de terre ; mais, mademoiselle, avez-vous jamais eu la peste ? – Jamais, répondit la baronne.

– Si vous l'aviez eue, reprit la vieille, vous avoueriez qu'elle est bien au-dessus d'un tremblement de terre. Elle est fort commune en Afrique ; j'en fus attaquée. Figurez-vous quelle situation pour la fille d'un pape, âgée de quinze ans, qui en trois mois de temps avait éprouvé la pauvreté, l'esclavage, avait été violée presque tous les jours, avait vu couper sa mère en quatre, avait essuyé la faim et la guerre, et mourait pestiférée dans Alger. Je n'en mourus pourtant pas. Mais mon eunuque et le dey, et presque tout le sérail d'Alger, périrent.

« Quand les premiers ravages de cette épouvantable peste furent passés, on vendit les esclaves du dey. Un marchand

1. Dey : ou bey, prince souverain.

m'acheta et me mena à Tunis, il me vendit à un autre marchand, qui me revendit à Tripoli ; de Tripoli je fus revendue à Alexandrie, d'Alexandrie revendue à Smyrne, de Smyrne à Constantinople. J'appartins enfin à un aga des janissaires[1], qui fut bientôt commandé pour aller défendre Azof contre les Russes qui l'assiégeaient.

« L'aga, qui était un très galant homme, mena avec lui tout son sérail, et nous logea dans un petit fort sur les Palus-Méotides, gardé par deux eunuques noirs et vingt soldats. On tua prodigieusement de Russes, mais ils nous le rendirent bien. Azof fut mis à feu et à sang, et on ne pardonna ni au sexe ni à l'âge ; il ne resta que notre petit fort ; les ennemis voulurent nous prendre par famine. Les vingt janissaires avaient juré de ne se jamais rendre. Les extrémités de la faim où ils furent réduits les contraignirent à manger nos deux eunuques, de peur de violer leur serment. Au bout de quelques jours, ils résolurent de manger les femmes.

« Nous avions un iman[2] très pieux et très compatissant, qui leur fit un beau sermon par lequel il leur persuada de ne nous pas tuer tout à fait. "Coupez, dit-il, seulement une fesse à chacune de ces dames, vous ferez très bonne chère ; s'il faut y revenir, vous en aurez encore autant dans quelques jours ; le ciel vous saura gré d'une action si charitable, et vous serez secourus."

« Il avait beaucoup d'éloquence ; il les persuada. On nous fit cette horrible opération. L'iman nous appliqua le même baume qu'on met aux enfants qu'on vient de circoncire. Nous étions toutes à la mort.

1. Aga des janissaires : commandant des soldats turcs.
2. Iman : chef religieux musulman.

« À peine les janissaires eurent-ils fait le repas que nous leur avions fourni que les Russes arrivent sur des bateaux plats ; il ne réchappa pas un janissaire. Les Russes ne firent aucune attention à l'état où nous étions. Il y a partout des chirurgiens français : un d'eux, qui était fort adroit, prit soin de nous ; il nous guérit, et je me souviendrai toute ma vie que, quand les plaies furent bien fermées, il me fit des propositions. Au reste, il nous dit à toutes de nous consoler ; il nous assura que dans plusieurs sièges pareille chose était arrivée, et que c'était la loi de la guerre.

« Dès que mes compagnes purent marcher, on les fit aller à Moscou. J'échus en partage à un boyard[1] qui me fit sa jardinière, et qui me donnait vingt coups de fouet par jour. Mais ce seigneur ayant été roué au bout de deux ans avec une trentaine de boyards pour quelque tracasserie de cour, je profitai de cette aventure ; je m'enfuis ; je traversai toute la Russie ; je fus longtemps servante de cabaret à Riga, puis à Rostock, à Vismar, à Leipsick, à Cassel, à Utrecht, à Leyde, à La Haye, à Rotterdam : j'ai vieilli dans la misère et dans l'opprobre[2], n'ayant que la moitié d'un derrière, me souvenant toujours que j'étais fille d'un pape ; je voulus cent fois me tuer, mais j'aimais encore la vie. Cette faiblesse ridicule est peut-être un de nos penchants les plus funestes ; car y a-t-il rien de plus sot que de vouloir porter continuellement un fardeau qu'on veut toujours jeter par terre ? d'avoir son être en horreur, et de tenir à son être ? enfin de caresser le serpent qui nous dévore, jusqu'à ce qu'il nous ait mangé le cœur ?

« J'ai vu dans les pays que le sort m'a fait parcourir, et dans les cabarets où j'ai servi, un nombre prodigieux de

1. Boyard : seigneur de la noblesse russe.
2. Opprobre : la honte.

personnes qui avaient leur existence en exécration ; mais je n'en ai vu que douze qui aient mis volontairement fin à leur misère : trois nègres, quatre Anglais, quatre Genevois et un professeur allemand nommé Robeck. J'ai fini par être servante chez le Juif don Issacar ; il me mit auprès de vous, ma belle demoiselle ; je me suis attachée à votre destinée, et j'ai été plus occupée de vos aventures que des miennes. Je ne vous aurais même jamais parlé de mes malheurs, si vous ne m'aviez pas un peu piquée, et s'il n'était d'usage dans un vaisseau de conter des histoires pour se désennuyer. Enfin, mademoiselle, j'ai de l'expérience, je connais le monde ; donnez-vous un plaisir, engagez chaque passager à vous conter son histoire ; et s'il s'en trouve un seul qui n'ait souvent maudit sa vie, qui ne se soit souvent dit à lui-même qu'il était le plus malheureux des hommes, jetez-moi dans la mer la tête la première. »

Arrêt
sur
lecture 2

Vous venez d'avoir un aperçu, après une cinquantaine de pages, du régime auquel nous soumet le conte : une succession rapide de courts chapitres, une accumulation d'événements le plus souvent désastreux, l'introduction arbitraire de personnages esquissés à grands traits, une fuite perpétuelle qui nous conduit en divers lieux d'Europe, une chronologie désinvolte. Le tout mené sur un rythme haletant, endiablé, qui ne nous laisse aucun répit, nous imposant impitoyablement une image de désordre d'où découlera la leçon philosophique : le monde est un chaos dans lequel l'être humain a du mal à trouver l'asile du bonheur. D'un point de vue littéraire, Voltaire mène son récit de façon fort habile en faisant se croiser deux pistes narratives : l'itinéraire géographique et personnel de Candide, la découverte du mal à travers les horreurs du monde. Ces deux fils conducteurs peuvent orienter notre lecture.

Itinéraire d'un jeune homme naïf

Suivez le guide...

Cette histoire désordonnée, ce récit décousu trouvent leur unité dans un élément fédérateur : la présence permanente du héros éponyme*. L'observation des titres est édifiante : si l'on excepte trois chapitres composés de récits (celui de Cunégonde et de la vieille), sortes de parenthèses narratives, on constate que le nom de Candide apparaît dans chacun des titres. Les phrases longues des titres constituent en quelque sorte un sommaire de l'action à venir et semblent construites autour d'un verbe marquant les effets de la vie sur le héros : « devint », « advint », « fut fessé », « retrouvé », « arriva »... Suivant une recette empruntée à la tradition, le conteur nous invite à mettre nos pas dans ceux de son personnage transformé en guide hésitant, parfois spectateur ou auditeur des mésaventures des autres, parfois victime lui-même des manifestations du mal, plus rarement initiateur et responsable, comme dans le double meurtre du chapitre 9. Le voyage de la lecture reproduit le voyage du personnage et trébuche sur les obstacles de la fiction comme Candide se heurte à l'absurdité du monde.

... et essayez de comprendre

Car Candide n'est pas comparable à ces héros de roman qui grâce à leur intelligence ou leur sensibilité nous aident à apprécier les événements qu'ils racontent. « Notre bon Westphalien » semble plutôt jeté dans un monde qu'il ne domine pas, qu'il traverse sans comprendre étant donné qu'il est dépourvu des outils intellectuels nécessaires :

> Candide, qui tremblait comme un philosophe, se cacha du mieux qu'il put pendant cette boucherie héroïque (chapitre 3).

Nourri des leçons de Pangloss, il tente en vain d'appliquer à ce

qu'il voit les formules inadaptées du dogme optimiste, au risque d'être déconcerté par la résistance des faits (chapitre 6) :

> Si c'est ici le meilleur des mondes possibles, que sont donc les autres ?

Ce « jeune métaphysicien » fort ignorant des choses de ce monde, soldat malgré lui, blasphémateur sans le vouloir, meurtrier involontaire, oublie de s'interroger sur les raisons de la guerre, sur les injustices de la Providence*, sur les cruautés du fanatisme religieux. Il subit, passivement, la colère de la nature et la folie des hommes, sans jamais chercher à se révolter contre les épreuves injustes qui s'abattent sur lui. Les quatre participes passés de la dernière phrase du chapitre 6 soulignent cette passivité : « prêché, fessé, absous et béni ». Puni ou récompensé, Candide en est réduit à accepter les coups du destin défavorable se contentant de les éviter par la fuite plutôt que de les critiquer.

Car tout cela est un conte

Les expériences douloureuses de ce personnage fantoche pourraient nous émouvoir si elles n'étaient pas accumulées avec la fantaisie d'un conteur plus soucieux de moquerie que de réalisme. Candide passe, dans l'espace de quelques lignes, d'une armée à une autre, puis de la guerre à la tempête, du tremblement de terre à l'autodafé, du supplice au duel... en attendant d'autres aventures probables. Dans le même temps il fait des rencontres nombreuses et inattendues, celle de Pangloss, de l'anabaptiste Jacques, de la vieille, de Cunégonde. Sans parler des sergents recruteurs, du prédicant hollandais, du matelot, du Juif, de l'Inquisiteur... La profusion invraisemblable des mésaventures du héros est grossie en outre des calamités racontées par les personnages de rencontre : celles de Pangloss, victime d'une maladie gagnée dans les bras de Paquette, celles de Cunégonde que l'on croit d'abord morte mais qui réappa-

Quelques scènes, illustrées par Gus Bofa, des malheurs de Candide et de ses acolytes : il vous sera facile de les repérer dans le conte.

raît pour renchérir, par son récit, sur l'horreur. Et, surtout, celles de la vieille, dont l'histoire qui court sur deux chapitres constitue, par l'effet de mise en abyme*, un conte dans le conte dans lequel Voltaire s'amuse à accumuler les clichés du romanesque* sentimental, disqualifiant l'émotion par la surcharge et l'exagération.

Ainsi, dans le sillage d'un pseudo-héros ballotté par la vie, dépassé par le rythme, étranger à l'absurde du monde, le conte avance, affichant ouvertement les ficelles de la narration : exhibition parodique des titres, surabondance de la fiction, superposition ou emboîtement des épisodes, effets de suspens en fin de chapitre et de relance en début. Voltaire a décidé d'utiliser les procédés du romanesque* pour le détourner au moyen du rire. Nous sommes au cœur de la parodie* qui va exploiter les ressources de l'ironie* pour dénoncer les effets destructeurs du mal.

Un univers livré au chaos

Derrière le leurre narratif constitué par l'aventure itinérante de Candide à la recherche de l'amour et du bonheur, se dessine le vrai sujet du conte : la déconsidération de la philosophie optimiste et la dénonciation satirique des désordres du monde. Laissons de côté les insignifiantes bagatelles comme les maladies sexuelles, le viol, la mort violente par noyade, l'assassinat, l'exécution par le feu, la pendaison, et arrêtons-nous sur deux des horreurs les plus détaillées et les plus meurtrières : la guerre, la catastrophe naturelle.

« Cette boucherie héroïque »

Les chapitres 2 et 3 sont consacrés presque entièrement à la guerre, ce fléau dont Voltaire veut nous faire comprendre l'atroce absurdité. Dans son *Essai sur les mœurs*, un ouvrage historique à peine anté-

rieur à notre conte, l'écrivain constatait : « Presque toute l'histoire est une suite d'atrocités inutiles. »

La guerre de Sept Ans qu'il suit sur un atlas et par des courriers venus d'Allemagne le confirme dans sa révolte. Son objectif sera dès lors de dépouiller la pratique guerrière de son auréole de prestige en opposant l'apparat de surface à la cruauté des faits. Aucune démonstration ici, mais des images : la farce du recrutement, l'absurdité de l'exercice, la brutalité des punitions, l'incongruité de la parade et surtout le scandale de la mort montré par l'accumulation des cadavres. La guerre est une aveugle machine à tuer, à détruire, comme semble le prouver le chapitre 3 où le verbe « tuer » est remplacé par des périphrases ironiques : « renversèrent », « ôtèrent du meilleur des mondes », « fut la raison suffisante ». On peut toujours utiliser des formules atténuées pour camoufler la réalité, la finalité de la guerre est pourtant bien de supprimer la vie.

Les responsables des conflits sont les princes, convaincus d'avoir le droit pour eux, n'hésitant pas à recourir aux moyens les plus atroces pour asseoir leur victoire, à couvrir les exactions les plus inhumaines. La fureur meurtrière des Européens, qui peut sans sourciller s'exercer contre des innocents (« vieillards criblés de coups », « femmes égorgées », « filles éventrées », au chapitre 3), n'a rien à envier au déchaînement sanglant des « habitants du mont Atlas » décrits par la vieille dans son récit du chapitre 11 :

> Mon capitaine me tenait cachée derrière lui. Il avait le cimeterre au poing, et tuait tout ce qui s'opposait à sa rage.

Visiblement révolté par cette folie humaine le conteur n'oublie pas de cacher son indignation sous l'ironie*. Les mots sont employés en antiphrase* (« héroïque », « harmonie », « âmes »…), l'horreur devient fête, la guerre étant comparée à un jeu, ou à une cérémonie codifiée, les victimes sont comptabilisées comme des pions, l'inhumanité est considérée comme naturelle, enfin le car-

nage du tableau s'oppose au badinage du ton. Reprenant un sujet de satire* traditionnel, déjà présent chez Rabelais ou La Bruyère, Voltaire mène son attaque avec une efficacité d'autant plus redoutable qu'elle passe par la raillerie burlesque.

« Lisbonne est abîmée, et l'on danse à Paris »

De quelques catastrophes bien réelles – Les concessions à la fantaisie ou à l'invraisemblance n'empêchent pas le conte, comme on l'a vu avec la transposition satirique de la guerre de Sept Ans, d'exploiter à des fins militantes des événements réels empruntés à l'actualité. Cette volonté est encore plus sensible avec les chapitres 6 et 7 qui introduisent une des plus graves catastrophes qu'ait connue l'Europe du XVIIIe siècle, le tremblement de terre de Lisbonne survenu le 1er novembre 1755.

On parle d'abord de cent mille morts, le chiffre définitif s'établira autour de trente mille. Voltaire, bouleversé par le nombre des victimes, fait part dans sa correspondance de son émotion face à l'événement. Puis le philosophe passe aux actes en rédigeant en décembre 1755 un long poème dans lequel il dénonce l'injustice de la Providence* et le scandale du mal. Ce poème, qui connaît un retentissement considérable, est l'objet de diverses réfutations, de débats et d'une réponse, restée célèbre, de Rousseau à Voltaire.

Le réalisme comme arme – L'utilisation romanesque de l'événement veut d'abord susciter l'émotion par le réalisme de la description comme au chapitre 5 :

> Des tourbillons de flammes et de cendres couvrent les rues et les places publiques ; les maisons s'écroulent, les toits sont renversés sur les fondements, et les fondements se dispersent ; trente mille habitants de tout âge et de tout sexe sont écrasés sous des ruines.

Les réactions des divers personnages sont conformes à leur tempérament et à la leçon souhaitée par Voltaire. C'est ainsi que le

matelot hollandais se montre cynique et cupide, et que Candide affiche son désarroi :

> Voici le dernier jour du monde ! [...] Je me meurs.

Pangloss trouve une confirmation à ses prétentieuses spéculations :

> Car, dit-il, tout ceci est ce qu'il y a de mieux [...]; car il est impossible que les choses ne soient pas où elles sont. Car tout est bien.

L'entêtement absurde du philosophe face à la manifestation la plus horrible du mal n'a nul besoin d'être commenté, il discrédite son auteur. Les esprits bornés qui s'obstinent à introduire une causalité logique et bienveillante là où règne le caprice de la nature sont des imposteurs. Ce n'est pas la seule fois que Voltaire s'en prend aux faux savants.

Prolongeons le débat

Vous serez curieux de lire quelques extraits du fameux « Poème sur le désastre de Lisbonne » de Voltaire. Le sous-titre en est : « Ou examen de cet axiome : Tout est bien. »

L'ensemble du poème compte 234 vers.

« 1 Ô malheureux mortels ! ô terre déplorable !
 Ô de tous les mortels assemblages effroyable !
 D'inutiles douleurs éternel entretien !
 Philosophes trompés qui criez, « Tout est bien » ;
 5 Accourez, contemplez ces ruines affreuses,
 Ces débris, ces lambeaux, ces cendres malheureuses,
 Ces femmes, ces enfants l'un sur l'autre entassés,
 Sous ces marbres rompus ces membres dispersés ;

Cent mille infortunés que la terre dévore,
10 Qui, sanglants, déchirés, et palpitants encore,
Enterrés sous leur toit, terminent sans secours
Dans l'horreur des tourments leurs lamentables jours !
[…]
Quel crime, quelle faute ont commis ces enfants
20 Sur le sein maternel écrasés et sanglants ?
Lisbonne qui n'est plus, eut-elle plus de vices
Que Londres, que Paris, plongés dans les délices ?
Lisbonne est abîmée, et l'on danse à Paris.
[…]
200 Que suis-je, où suis-je, où vais-je, et d'où suis-je tiré ?
Atomes tourmentés sur cet amas de boue,
Mais atomes pensants, atomes dont les yeux,
Guidés par la pensée ont mesuré les cieux ;
205 Au sein de l'infini nous élançons notre être,
Sans pouvoir un moment nous voir et nous connaître […]. 》》

Et voici quelques courts passages de la lettre que Jean-Jacques Rousseau (1712-1778) adressa à Voltaire sur cette question le 18 août 1756 :

《《 […] Je ne vois pas qu'on puisse chercher la source du mal moral ailleurs que dans l'homme libre, perfectionné, partant corrompu ; et quant aux maux physiques […] ils sont inévitables dans tout système dont l'homme fait partie ; […] la plupart de nos maux physiques sont notre ouvrage. […] Vous auriez voulu que le tremblement de terre se fût fait au fond d'un désert… […] Serait-ce donc à dire […] que la nature doit être soumise à nos lois ? […] Toutes les subtilités de la métaphysique ne me feront pas douter un moment de l'immortalité de l'âme, et d'une Providence bienfaisante. 》》

à vous...

1 – La critique du fanatisme religieux :
Relisez les deux premiers paragraphes du chapitre 6 :
– Que pensez-vous du titre du chapitre ?
– Étudiez le rapport entre les causes et les conséquences.
– Repérez les effets ironiques : les antiphrases*, les décalages de ton, les contradictions, les raccourcis.
– Relevez les détails pittoresques qui donnent sa vérité à l'épisode.

2 – Le débat sur la Providence :
– Relevez dans les chapitres 4 à 9 les formules qui témoignent d'une confiance aveugle en la Providence.
– Dans le « Poème sur le désastre de Lisbonne », recensez les mots ou expressions qui illustrent la révolte de Voltaire contre la Providence*.

3 – L'histoire de la vieille :
– Trouvez la phrase (chapitre 12) qui résume les malheurs de la vieille. N'en oublie-t-elle pas ?
– À quoi sert ce récit dans le conte ?

4 – « Engagez chaque passager à vous conter son histoire », demande la vieille à la fin de son récit (chapitre 12). Imaginez celle que raconte le marin de Batavia apparu au chapitre 5.

Groupement de textes : la tolérance

Le siècle des Lumières *, sans avoir inventé la notion, fit de la tolérance un de ses combats majeurs. Dans *Candide*, Voltaire, sans se

départir de la légèreté propre au conte, parvient à dénoncer les excès de l'Inquisition, du colonialisme, du racisme et des diverses formes du fanatisme idéologique ou religieux. Le thème sera repris par lui de manière plus grave à propos de l'exécution à Toulouse du protestant Calas. Sur cette « affaire », Voltaire publiera un ouvrage polémique* dont le titre sera précisément *Traité sur la tolérance* (1763). L'année suivante, dans un autre ouvrage engagé, le *Dictionnaire philosophique*, il donne une définition, peut-être contestable, de la tolérance : « Qu'est-ce que la tolérance ? C'est l'apanage de l'humanité ? Nous sommes tous pétris de faiblesses et d'erreurs ; pardonnons-nous réciproquement nos sottises, c'est la première loi de la nature. »

La cause de la liberté religieuse, déjà présente chez des penseurs antérieurs, sera développée par des « philosophes » du XVIIIe siècle comme Montesquieu, Jean-Jacques Rousseau ou Denis Diderot. Même si la tolérance a progressé depuis la reconnaissance et la proclamation des droits de l'homme, le débat n'est pas clos. Les quatre textes suivants permettent de souligner la diversité et l'actualité des problèmes.

Thomas More, *L'Utopie* (1516)

Le XVIe siècle, secoué par la Réforme, fut traversé de querelles religieuses. La pensée humaniste tente pourtant de défendre les valeurs de tolérance et de respect de l'autre. C'est ce qu'illustre l'Anglais Thomas More dans son livre célèbre, *L'Utopie* où il imagine une île merveilleuse fondée par Utopus qui intègre la liberté religieuse à un idéal de gouvernement.

« Les Utopiens mettent au nombre de leurs institutions les plus anciennes celle qui prescrit de ne faire tort à personne pour sa religion. Utopus, à l'époque de la fondation de l'empire, avait appris qu'avant son arrivée, les indigènes étaient en guerre continuelle au

sujet de la religion. Il avait aussi remarqué que cette situation du pays lui en avait puissamment facilité la conquête, parce que les sectes dissidentes, au lieu de se réunir en masse, combattaient isolées et à part. Dès qu'il fut victorieux et maître, il se hâta de décréter la liberté de religion. Cependant, il ne proscrivit pas le prosélytisme qui propage la foi au moyen du raisonnement, avec douceur et modestie ; qui ne cherche pas à détruire par la force brutale la religion contraire, s'il ne réussit pas à persuader ; qui enfin n'emploie ni la violence, ni l'injure. Mais l'intolérance et le fanatisme furent punis de l'exil ou de l'esclavage.

Utopus, en décrétant la liberté religieuse, n'avait pas seulement en vue le maintien de la paix que troublaient naguère des combats continuels et des haines implacables, il pensait encore que l'intérêt de la religion elle-même commandait une pareille mesure. Jamais il n'osa rien statuer témérairement en matière de foi, incertain si Dieu n'inspirait pas lui-même aux hommes des croyances diverses, afin d'éprouver, pour ainsi dire, cette grande multitude de cultes variés. Quant à l'emploi de la violence et des menaces pour contraindre un autre à croire comme soi, cela lui parut tyrannique et absurde. Il prévoyait que si toutes les religions étaient fausses, à l'exception d'une seule, le temps viendrait où, à l'aide de la douceur et de la raison, la vérité se dégagerait elle-même, lumineuse et triomphante, de la nuit de l'erreur.

Au contraire, lorsque la controverse se fait en tumulte et les armes à la main, comme les plus méchants hommes sont les plus entêtés, il arrive que le meilleur et la plus sainte religion finit par être enterrés sous une foule de superstitions vaines, ainsi qu'une belle moisson sous les ronces et les broussailles. Voilà pourquoi Utopus laissa à chacun liberté entière de conscience et de foi. 》

<div align="right">trad. de Victor Stonvenel

Éd. Sociales, « Classiques du peuple »

(p. 184-185).</div>

à vous...

1 –Quelles sont les raisons qui poussent Utopus à instaurer la liberté religieuse ?

2 –Pourquoi le prosélytisme, c'est-à-dire la volonté de faire des disciples, est-il permis ? Quelles conséquences cette mesure peut-elle entraîner ?

3 –Relevez tous les mots et tours négatifs qui servent à désigner l'intolérance.

Montesquieu, *Les Lettres persanes* (1721)

Comme Voltaire, et avant lui, Montesquieu a souvent pris position en faveur de la tolérance. Dans *Les Lettres persanes*, il nous livre les points de vue d'un habitant de la Perse, Usbek, séjournant en Europe et écrivant à son ami Mirza resté au pays. Les mœurs françaises sont ainsi décrites avec humour et raillerie, mais sont également abordés, comme ici, les grands problèmes philosophiques.

« [...] S'il faut raisonner sans prévention, je ne sais pas, Mirza, s'il n'est pas bon que dans un état il y ait plusieurs religions.

On remarque que ceux qui vivent dans des religions tolérées se rendent ordinairement plus utiles à leur patrie que ceux qui vivent dans la religion dominante ; parce que, éloignés des honneurs, ne pouvant se distinguer que par leur opulence et leurs richesses, ils sont portés à acquérir par leur travail et à embrasser les emplois de la Société les plus pénibles.

D'ailleurs, comme toutes les religions contiennent des préceptes utiles à la Société, il est bon qu'elles soient observées avec zèle. Or qu'y a-t-il de plus capable d'animer ce zèle que leur multiplicité ?

Ce sont des rivales qui ne se pardonnent rien. La jalousie descend jusqu'aux particuliers : chacun se tient sur ses gardes et craint de faire des choses qui déshonoreraient son parti et l'exposeraient aux mépris et aux censures impardonnables du parti contraire.

Aussi a-t-on toujours remarqué qu'une secte nouvelle introduite dans un état était le moyen le plus sûr pour corriger tous les abus de l'ancienne.

On a beau dire qu'il n'est pas de l'intérêt du prince de souffrir plusieurs religions dans son état. Quand toutes les sectes du monde viendraient s'y rassembler, cela ne lui porterait aucun préjudice, parce qu'il n'y en a aucune qui ne prescrive l'obéissance et ne prêche la soumission.

J'avoue que les histoires sont remplies de guerres de religion. Mais, qu'on y prenne bien garde : ce n'est point la multiplicité des religions qui a produit ces guerres, c'est l'esprit d'intolérance, qui animait celle qui se croyait la dominante ; c'est cet esprit de prosélytisme que les Juifs ont pris des Égyptiens, et qui, d'eux, est passé, comme une maladie épidémique et populaire, aux Mahométans et aux Chrétiens ; c'est, enfin, cet esprit de vertige, dont les progrès ne peuvent être regardés que comme une éclipse entière de la raison humaine.

Car, enfin, quand il n'y aurait pas de l'inhumanité à affliger la conscience des autres ; quand il n'en résulterait aucun des mauvais effets qui en germent à milliers : il faudrait être fou pour s'en aviser. Celui qui veut me faire changer de religion ne le fait sans doute que parce qu'il ne changerait pas la sienne, quand on voudrait l'y forcer : il trouve donc étrange que je ne fasse pas une chose qu'il ne ferait pas lui-même peut-être pour l'empire du monde.

De Paris, le 25 de la lune de Gemmadi I, 1715. »

Lettre 85

à vous...

1 – Identifiez et classez les divers avantages qui inclinent à préférer la tolérance.

2 – Le dernier paragraphe veut montrer le caractère illogique de l'intolérance. Précisez l'idée et commentez-la.

3 – Le 15 octobre 1685, Louis XIV révoque l'édit de Nantes. Qui l'avait instauré ? Quel était son contenu ? Quelles furent les conséquences de cette révocation ? Le texte vous paraît-il contenir des allusions à ces faits ?

Émile Zola, *La Fortune des Rougon* (1871)

Au XIXe siècle, le débat sur l'intolérance se déplace du domaine religieux vers le domaine politique et idéologique. Les idées sociales progressent et on milite en faveur d'une humanité libérée des préjugés et de l'oppression. Pourtant, la volonté de bâtir une société plus juste conduit parfois à développer un nouvel extrémisme, comme le montre Zola dans cet extrait de *La Fortune des Rougon*. Ce premier volume du cycle des *Rougon-Macquart* met en scène un jeune homme idéaliste, Silvère Mouret, animé de généreuses idées révolutionnaires qui le conduisent à rejoindre les opposants au coup d'État du 2 décembre 1851.

« Dans un pareil esprit, ardent et contenu, les idées républicaines s'exaltèrent naturellement. Silvère, la nuit, au fond de son taudis, lisait et relisait un volume de Rousseau, qu'il avait découvert chez le fripier voisin, au milieu de vieilles serrures. Cette lecture le tenait éveillé jusqu'au matin. Dans le rêve cher aux malheureux du bonheur universel, les mots de liberté, d'égalité, de fraternité, sonnaient à ses oreilles avec ce bruit sonore et sacré des cloches qui fait tomber les

fidèles à genoux. Aussi, quand il apprit que la République venait d'être proclamée en France, crut-il que tout le monde allait vivre dans une béatitude céleste. Sa demi-instruction lui faisait voir plus loin que les autres ouvriers, ses aspirations ne s'arrêtaient pas au pain de chaque jour ; mais ses naïvetés profondes, son ignorance complète des hommes, le maintenaient en plein rêve théorique, au milieu d'un Éden où régnait l'éternelle justice. Son paradis fut longtemps un lieu de délices dans lequel il s'oublia. Quand il crut s'apercevoir que tout n'allait pas pour le mieux dans la meilleure des républiques, il éprouva une douleur immense ; il fit un autre rêve, celui de contraindre les hommes à être heureux, même par la force. Chaque acte qui lui parut blesser les intérêts du peuple excita en lui une indignation vengeresse. D'une douceur d'enfant, il eut des haines politiques farouches. Lui qui n'aurait pas écrasé une mouche, il parlait à toute heure de prendre les armes. La liberté fut sa passion, une passion irraisonnée, absolue, dans laquelle il mit toutes les fièvres de son sang. Aveuglé d'enthousiasme, à la fois trop ignorant et trop instruit pour être tolérant, il ne voulut pas compter avec les hommes ; il lui fallait un gouvernement idéal d'entière justice et d'entière liberté. 》

à vous...

1 –Discernez les deux parties de l'extrait ; en quoi s'opposent-elles ?

2 –Trouvez dans le passage une allusion explicite à *Candide*. Pourquoi cette référence ici ?

3 –Relevez les mots qui montrent que Zola juge que son personnage manque de réalisme.

4 –Commentez la formule : «À la fois trop ignorant et trop instruit pour être tolérant.»

Albert Cohen, *Ô vous frères humains* (1972)

L'antisémitisme, qui a pris son caractère haineux en France à partir de l'affaire Dreyfus (1895), est une des formes les plus stupides et les plus ravageuses de l'intolérance telle qu'elle a sévi au xxe siècle. Albert Cohen, écrivain juif de langue française, raconte ici un épisode de son enfance qui l'a conduit à « rencontrer la haine ». Nous sommes en 1905, le narrateur est âgé de dix ans et vit à Marseille avec ses parents depuis cinq ans.

« En ce seizième jour du mois d'août, à trois heures cinq de l'après-midi, sortant du lycée où j'étais allé suivre un cours de vacances pour cancres en arithmétique, je vis un attroupement. À l'affût de m'intéresser et de jouir de la vie, de ma vie qui venait de commencer, je m'approchai. C'était un camelot qui devant sa table pliante démontrait avec feu les mérites de son détacheur universel. Fort animé et me forgeant déjà mille félicités de connaissances nouvelles, je me faufilai au premier rang pour mieux entendre et admirer le blond camelot aux fines moustaches. J'étais très fort en admiration en ce temps de mon enfance.

Oh, comme j'étais heureux d'écouter ce séducteur, de rire avec les badauds, de participer, d'en être ! À chaque plaisanterie du cher camelot, si spirituel, je regardais mes voisins pour rencontrer leurs yeux, pour me réjouir avec eux, pour communier. Oh, comme il parlait bien, et comme je l'admirais, et combien le merveilleux langage français était plaisant au petit étranger débarqué à cinq ans de son île grecque et qui le parlait encore si mal. Extasié, physiquement charmé, j'écoutais l'enchanteur, je le contemplais avec foi, une foi de petit chien, je croyais en lui, et je l'aimais. Ainsi étais-je, ainsi était ce petit crétin aux boucles noires, aux longs cils recourbés. Quand, avec son bâton de miracle, le magicien faisait disparaître une tache, je regardais de nouveau mes voisins pour m'assurer qu'ils appréciaient, pour savourer leur admiration, pour être en union d'émer-

veillement. J'étais heureux, je souriais au camelot, j'étais fier de lui, fier de sa compétence, fier de son accent parisien, et je l'aimais.

J'avais trois francs dans ma poche, cadeau de ma mère en ce jour anniversaire, et je décidai d'en consacrer la moitié à l'achat de trois bâtons de détacheur. Ainsi le camelot m'estimerait, me trouverait intéressant, et je pourrais rester longtemps à l'écouter, du droit d'un client sérieux. Et puis Maman serait si contente! Jamais plus de taches! Le cœur battant, tout ému de l'important achat qui allait me valoir la considération des badauds et l'amitié du camelot, je mis la main dans la poche de mon costume marin pour en sortir la grande somme, et j'aspirai largement pour avoir le courage de m'avancer et de réclamer les trois bâtons. Mais alors, rencontrant mon sourire tendre de dix ans, sourire d'amour, le camelot s'arrêta de discourir et de frotter, scruta silencieusement mon visage, sourit à son tour, et j'eus peur. Son sourire venait de découvrir deux longues canines, et un paquet de sang massivement afflua sous ma poitrine, à hauteur du sternum, avec le choc d'un coup contre ma gorge. Sous son regard bleu pâle et son index tendu qui me désignait, je transpirai, et de panique j'humectai mes lèvres.

– Toi, tu es un youpin, hein? me dit le blond camelot aux fines moustaches que j'étais allé écouter avec foi et tendresse à la sortie du lycée, tu es un sale youpin, hein? je vois ça à ta gueule, tu manges pas du cochon, hein? vu que les cochons se mangent pas entre eux, tu es avare, hein? je vois ça à ta gueule, tu bouffes les louis d'or, hein? tu aimes mieux ça que les bonbons, hein? tu es encore un Français à la manque, hein? je vois ça à ta gueule, tu es un sale juif, hein? un sale juif, hein? ton père est de la finance internationale, hein? tu viens manger le pain des Français, hein? messieurs dames, je vous présente un copain à Dreyfus, un petit youtre pur sang, garanti de la confrérie du sécateur, raccourci où il faut, je les reconnais du premier coup, j'ai l'œil américain, moi, eh ben nous on aime pas les juifs par ici, c'est une sale race, c'est tous des

espions vendus à l'Allemagne, voyez Dreyfus, c'est tous des traîtres, c'est tous des salauds, sont mauvais comme la gale, des sangsues du pauvre monde, ça roule sur l'or et ça fume des gros cigares pendant que nous on se met la ceinture, pas vrai, messieurs dames ? tu peux filer, on t'a assez vu, tu es pas chez toi ici, c'est pas ton pays ici, tu as rien à faire chez nous, allez, file, débarrasse voir un peu le plancher, va un peu voir à Jérusalem si j'y suis.

Ainsi me dit le camelot dont je m'étais approché avec foi et tendresse en ce jour de mes dix ans, d'avance ravi d'écouter le gentil langage français dont j'étais enthousiaste, crétinement d'avance ravi d'acheter les trois bâtons de détacheur universel pour me faire bien voir du camelot, pour lui plaire, pour en être estimé, pour m'en faire aimer, pour avoir le droit de rester, pour en être, pour participer à la merveilleuse communion, pour aimer et être aimé. »

à vous...

1 – Pourquoi l'auteur prend-il la peine de nous fournir des précisions détaillées sur les circonstances ?

2 – Quel est l'état d'esprit de l'enfant quand il s'arrête devant le stand du camelot ?

3 – Quels types de reproches alimentent l'antisémitisme du camelot ?

4 – Connaissez-vous d'autres livres où un enfant juif est exposé à l'intolérance des autres ?

Comment Candide fut obligé
de se séparer de la belle Cunégonde
et de la vieille

La belle Cunégonde, ayant entendu l'histoire de la vieille, lui fit toutes les politesses qu'on devait à une personne de son rang et de son mérite. Elle accepta la proposition; elle engagea tous les passagers l'un après l'autre à lui conter leurs aventures. Candide et elle avouèrent que la vieille avait raison. «C'est bien dommage, disait Candide, que le sage Pangloss ait été pendu contre la coutume dans un auto-da-fé; il nous dirait des choses admirables sur le mal physique et sur le mal moral qui couvrent la terre et la mer, et je me sentirais assez de force pour oser lui faire respectueusement quelques objections.»

À mesure que chacun racontait son histoire, le vaisseau avançait. On aborda dans Buenos-Ayres. Cunégonde, le capitaine Candide et la vieille allèrent chez le gouverneur Don Fernando d'Ibaraa, y Figueora, y Mascarenes, y Lampourdos, y Souza. Ce seigneur avait une fierté convenable à un homme qui portait tant de noms. Il parlait aux hommes avec le dédain le plus noble, portant le nez si haut, élevant si impitoyablement la voix, prenant un ton si imposant, affectant une démarche si altière, que tous ceux qui le saluaient étaient tentés de le battre. Il aimait les femmes à

la fureur. Cunégonde lui parut ce qu'il avait jamais vu de plus beau. La première chose qu'il fit fut de demander si elle n'était point la femme du capitaine. L'air dont il fit cette question alarma Candide : il n'osa pas dire qu'elle était sa femme, parce que en effet elle ne l'était point ; il n'osait pas dire que c'était sa sœur, parce qu'elle ne l'était pas non plus ; et quoique ce mensonge officieux eût été autrefois très à la mode chez les anciens, et qu'il pût être utile aux modernes, son âme était trop pure pour trahir la vérité. «Mlle Cunégonde, dit-il, doit me faire l'honneur de m'épouser, et nous supplions Votre Excellence de daigner faire notre noce.»

Don Fernando d'Ibaraa, y Figueora, y Mascarenes, y Lampourdos, y Souza, relevant sa moustache, sourit amèrement, et ordonna au capitaine Candide d'aller faire la revue de sa compagnie. Candide obéit ; le gouverneur demeura avec Mlle Cunégonde. Il lui déclara sa passion, lui protesta que le lendemain il l'épouserait à la face de l'Église, ou autrement, ainsi qu'il plairait à ses charmes. Cunégonde lui demanda un quart d'heure pour se recueillir, pour consulter la vieille et pour se déterminer.

La vieille dit à Cunégonde : «Mademoiselle, vous avez soixante et douze quartiers, et pas une obole ; il ne tient qu'à vous d'être la femme du plus grand seigneur de l'Amérique méridionale, qui a une très belle moustache ; est-ce à vous de vous piquer d'une fidélité à toute épreuve ? Vous avez été violée par les Bulgares ; un Juif et un inquisiteur ont eu vos bonnes grâces : les malheurs donnent des droits. J'avoue que, si j'étais à votre place, je ne ferais aucun scrupule d'épouser monsieur le gouverneur et de faire la fortune de M. le capitaine Candide.» Tandis que la vieille parlait avec toute la prudence que l'âge et l'expérience donnent, on

vit entrer dans le port un petit vaisseau ; il portait un alcade et des alguazils[1], et voici ce qui était arrivé.

La vieille avait très bien deviné que ce fut un cordelier à la grande manche[2] qui vola l'argent et les bijoux de Cunégonde dans la ville de Badajoz, lorsqu'elle fuyait en hâte avec Candide. Ce moine voulut vendre quelques-unes des pierreries à un joaillier. Le marchand les reconnut pour celles du grand inquisiteur. Le cordelier, avant d'être pendu, avoua qu'il les avait volées ; il indiqua les personnes et la route qu'elles prenaient. La fuite de Cunégonde et de Candide était déjà connue. On les suivit à Cadix ; on envoya sans perdre temps un vaisseau à leur poursuite. Le vaisseau était déjà dans le port de Buenos-Ayres. Le bruit se répandit qu'un alcade allait débarquer, et qu'on poursuivait les meurtriers de monseigneur le grand inquisiteur. La prudente vieille vit dans l'instant tout ce qui était à faire. « Vous ne pouvez fuir, dit-elle à Cunégonde, et vous n'avez rien à craindre ; ce n'est pas vous qui avez tué monseigneur ; et d'ailleurs le gouverneur, qui vous aime, ne souffrira pas qu'on vous maltraite ; demeurez. » Elle court sur-le-champ à Candide : « Fuyez, dit-elle, ou dans une heure vous allez être brûlé. » Il n'y avait pas un moment à perdre ; mais comment se séparer de Cunégonde, et où se réfugier ?

1. Alcade, alguazil : fonctionnaires de justice espagnols.
2. Cordelier à la grande manche : religieux de l'ordre de Saint-François reconnaissable à l'ampleur des manches de sa robe.

14

Comment Candide et Cacambo furent reçus chez les jésuites du Paraguay

Candide avait amené de Cadix un valet tel qu'on en trouve beaucoup sur les côtes d'Espagne et dans les colonies. C'était un quart d'Espagnol, né d'un métis dans le Tucuman[1] ; il avait été enfant de chœur, sacristain, matelot, moine, facteur[2], soldat, laquais. Il s'appelait Cacambo, et aimait fort son maître parce que son maître était un fort bon homme. Il sella au plus vite les deux chevaux andalous. «Allons, mon maître, suivons le conseil de la vieille ; partons, et courons sans regarder derrière nous.» Candide versa des larmes. «Ô ma chère Cunégonde ! faut-il vous abandonner dans le temps que monsieur le gouverneur va faire nos noces ! Cunégonde amenée de si loin, que deviendrez-vous ? – Elle deviendra ce qu'elle pourra, dit Cacambo ; les femmes ne sont jamais embarrassées d'elles ; Dieu y pourvoit ; courons. – Où me mènes-tu ? où allons-nous ? que ferons-nous sans Cunégonde ? disait Candide. – Par saint Jacques de Compostelle, dit Cacambo, vous alliez faire la guerre aux jésuites ; allons la faire pour eux : je sais assez les chemins, je vous mènerai dans leur royaume, ils

1. Tucuman : province du Paraguay, au nord de Buenos Aires.
2. Facteur : agent d'affaires.

seront charmés d'avoir un capitaine qui fasse l'exercice à la bulgare ; vous ferez une fortune prodigieuse ; quand on n'a pas son compte dans un monde, on le trouve dans un autre. C'est un très grand plaisir de voir et de faire des choses nouvelles.

– Tu as donc été déjà dans le Paraguay ? dit Candide. – Eh vraiment oui ! dit Cacambo ; j'ai été cuistre[1] dans le collège de l'Assomption, et je connais le gouvernement de Los Padres[2] comme je connais les rues de Cadix. C'est une chose admirable que ce gouvernement. Le royaume a déjà plus de trois cents lieues de diamètre ; il est divisé en trente provinces. Los Padres y ont tout, et les peuples rien ; c'est le chef-d'œuvre de la raison et de la justice. Pour moi, je ne vois rien de si divin que Los Padres, qui font ici la guerre au roi d'Espagne et au roi de Portugal, et qui en Europe confessent ces rois ; qui tuent ici des Espagnols, et qui à Madrid les envoient au ciel : cela me ravit ; avançons ; vous allez être le plus heureux de tous les hommes. Quel plaisir auront Los Padres quand ils sauront qu'il leur vient un capitaine qui sait l'exercice bulgare ! »

Dès qu'ils furent arrivés à la première barrière, Cacambo dit à la garde avancée qu'un capitaine demandait à parler à monseigneur le commandant. On alla avertir la grande garde. Un officier paraguain courut aux pieds du commandant lui donner part de la nouvelle. Candide et Cacambo furent d'abord désarmés ; on se saisit de leurs deux chevaux andalous. Les deux étrangers sont introduits au milieu de deux files de soldats ; le commandant était au bout, le bonnet à trois cornes en tête, la robe retroussée, l'épée au côté,

1. Cuistre : valet.
2. Los Padres : littéralement « les Pères » pour désigner les jésuites qui dirigeaient la colonie du Paraguay.

l'esponton[1] à la main. Il fit un signe ; aussitôt vingt-quatre soldats entourent les deux nouveaux venus. Un sergent leur dit qu'il faut attendre, que le commandant ne peut leur parler, que le révérend père provincial ne permet pas qu'aucun Espagnol ouvre la bouche qu'en sa présence, et demeure plus de trois heures dans le pays. «Et où est le révérend père provincial ? dit Cacambo. – Il est à la parade après avoir dit sa messe, répondit le sergent, et vous ne pourrez baiser ses éperons que dans trois heures. – Mais, dit Cacambo, monsieur le capitaine, qui meurt de faim comme moi, n'est point espagnol, il est allemand ; ne pourrions-nous point déjeuner en attendant Sa Révérence ?»

Le sergent alla sur-le-champ rendre compte de ce discours au commandant. «Dieu soit béni ! dit ce seigneur ; puisqu'il est allemand, je peux lui parler ; qu'on le mène dans ma feuillée[2].» Aussitôt on conduit Candide dans un cabinet de verdure orné d'une très jolie colonnade de marbre vert et or, et de treillages qui renfermaient des perroquets, des colibris, des oiseaux-mouches, des pintades, et tous les oiseaux les plus rares. Un excellent déjeuner était préparé dans des vases d'or ; et tandis que les Paraguains mangèrent du maïs dans des écuelles de bois, en plein champ, à l'ardeur du soleil, le révérend père commandant entra dans la feuillée.

C'était un très beau jeune homme, le visage plein, assez blanc, haut en couleur, le sourcil relevé, l'œil vif, l'oreille rouge, les lèvres vermeilles, l'air fier, mais d'une fierté qui n'était ni celle d'un Espagnol ni celle d'un jésuite. On rendit à Candide et à Cacambo leurs armes, qu'on leur avait saisies, ainsi que les deux chevaux andalous ; Cacambo leur

1. Esponton : arme en forme de pique.
2. Feuillée : modeste abri de feuillages.

fit manger l'avoine auprès de la feuillée, ayant toujours l'œil sur eux, crainte de surprise.

Candide baisa d'abord le bas de la robe du commandant, ensuite ils se mirent à table. « Vous êtes donc allemand ? lui dit le jésuite en cette langue. – Oui, mon Révérend Père », dit Candide. L'un et l'autre, en prononçant ces paroles, se regardaient avec une extrême surprise et une émotion dont ils n'étaient pas les maîtres. « Et de quel pays d'Allemagne êtes-vous ? dit le jésuite. – De la sale province de Westphalie, dit Candide : je suis né dans le château de Thunder-ten-tronckh. – Ô ciel ! est-il possible ? s'écria le commandant. – Quel miracle ! s'écria Candide. – Serait-ce vous ? dit le commandant. – Cela n'est pas possible », dit Candide. Ils se laissent tomber tous deux à la renverse, ils s'embrassent, ils versent des ruisseaux de larmes. « Quoi ! serait-ce vous, mon Révérend Père ? vous, le frère de la belle Cunégonde ! vous, qui fûtes tué par les Bulgares ! vous, le fils de monsieur le baron ! vous, jésuite au Paraguay ! Il faut avouer que ce monde est une étrange chose. Ô Pangloss ! Pangloss ! que vous seriez aise si vous n'aviez pas été pendu ! »

Le commandant fit retirer les esclaves nègres et les Paraguains qui servaient à boire dans des gobelets de cristal de roche. Il remercia Dieu et saint Ignace mille fois ; il serrait Candide entre ses bras ; leurs visages étaient baignés de pleurs. « Vous seriez bien plus étonné, plus attendri, plus hors de vous-même, dit Candide, si je vous disais que Mlle Cunégonde, votre sœur, que vous avez crue éventrée, est pleine de santé. – Où ? – Dans votre voisinage, chez M. le gouverneur de Buenos-Ayres ; et je venais pour vous faire la guerre. » Chaque mot qu'ils prononcèrent dans cette longue conversation accumulait prodige sur prodige. Leur âme tout entière volait sur leur langue, était attentive dans

leurs oreilles et étincelante dans leurs yeux. Comme ils étaient allemands, ils tinrent table longtemps, en attendant le révérend père provincial ; et le commandant parla ainsi à son cher Candide.

Comment Candide tua le frère
de sa chère Cunégonde

« **J**'aurai toute ma vie présent à la mémoire le jour horrible où je vis tuer mon père et ma mère, et violer ma sœur. Quand les Bulgares furent retirés, on ne trouva point cette sœur adorable, et on mit dans une charrette ma mère, mon père et moi, deux servantes et trois petits garçons égorgés, pour nous aller enterrer dans une chapelle de jésuites, à deux lieues du château de mes pères. Un jésuite nous jeta de l'eau bénite ; elle était horriblement salée ; il en entra quelques gouttes dans mes yeux ; le père s'aperçut que ma paupière faisait un petit mouvement : il mit la main sur mon cœur et le sentit palpiter ; je fus secouru, et, au bout de trois semaines, il n'y paraissait pas. Vous savez, mon cher Candide, que j'étais fort joli, je le devins encore davantage ; aussi le révérend père Croust, supérieur de la maison, prit pour moi la plus tendre amitié ; il me donna l'habit de novice ; quelque temps après je fus envoyé à Rome. Le père général avait besoin d'une recrue de jeunes jésuites allemands. Les souverains du Paraguay reçoivent le moins qu'ils peuvent de jésuites espagnols ; ils aiment mieux les étrangers, dont ils se croient plus maîtres. Je fus jugé propre par le révérend père général pour aller travailler dans cette

vigne. Nous partîmes, un Polonais, un Tyrolien et moi. Je fus honoré, en arrivant, du sous-diaconat et d'une lieutenance ; je suis aujourd'hui colonel et prêtre. Nous recevrons vigoureusement les troupes du roi d'Espagne ; je vous réponds qu'elles seront excommuniées et battues. La Providence vous envoie ici pour nous seconder. Mais est-il bien vrai que ma chère sœur Cunégonde soit dans le voisinage, chez le gouverneur de Buenos-Ayres ? » Candide l'assura par serment que rien n'était plus vrai. Leurs larmes recommencèrent à couler.

Le baron ne pouvait se lasser d'embrasser Candide ; il l'appelait son frère, son sauveur. « Ah ! peut-être, lui dit-il, nous pourrons ensemble, mon cher Candide, entrer en vainqueurs dans la ville, et reprendre ma sœur Cunégonde. – C'est tout ce que je souhaite, dit Candide ; car je comptais l'épouser, et je l'espère encore. – Vous, insolent ! répondit le baron, vous auriez l'impudence d'épouser ma sœur qui a soixante et douze quartiers ! Je vous trouve bien effronté d'oser me parler d'un dessein si téméraire ! » Candide, pétrifié d'un tel discours, lui répondit : « Mon Révérend Père, tous les quartiers du monde n'y font rien ; j'ai tiré votre sœur des bras d'un Juif et d'un inquisiteur ; elle m'a assez d'obligations, elle veut m'épouser. Maître Pangloss m'a toujours dit que les hommes sont égaux, et assurément je l'épouserai. – C'est ce que nous verrons, coquin ! » dit le jésuite baron de Thunder-ten-tronckh, et en même temps il lui donna un grand coup du plat de son épée sur le visage. Candide dans l'instant tire la sienne et l'enfonce jusqu'à la garde dans le ventre du baron jésuite ; mais, en la retirant toute fumante, il se mit à pleurer : « Hélas ! mon Dieu, dit-il, j'ai tué mon ancien maître, mon ami, mon beau-frère ; je

suis le meilleur homme du monde, et voilà déjà trois hommes que je tue ; et dans ces trois il y a deux prêtres. »

Cacambo, qui faisait sentinelle à la porte de la feuillée, accourut. « Il ne nous reste qu'à vendre cher notre vie, lui dit son maître : on va sans doute entrer dans la feuillée, il faut mourir les armes à la main. » Cacambo, qui en avait vu bien d'autres, ne perdit point la tête ; il prit la robe de jésuite que portait le baron, la mit sur le corps de Candide, lui donna le bonnet carré du mort, et le fit monter à cheval. Tout cela se fit en un clin d'œil. « Galopons, mon maître ; tout le monde vous prendra pour un jésuite qui va donner des ordres ; et nous aurons passé les frontières avant qu'on puisse courir après nous. » Il volait déjà en prononçant ces paroles, et en criant en espagnol : « Place, place pour le révérend père colonel. »

Ce qui advint aux deux voyageurs avec deux filles, deux singes et les sauvages nommés Oreillons

Candide et son valet furent au-delà des barrières, et personne ne savait encore dans le camp la mort du jésuite allemand. Le vigilant Cacambo avait eu soin de remplir sa valise de pain, de chocolat, de jambon, de fruits et de quelques mesures de vin. Ils s'enfoncèrent avec leurs chevaux andalous dans un pays inconnu, où ils ne découvrirent aucune route. Enfin une belle prairie entrecoupée de ruisseaux se présenta devant eux. Nos deux voyageurs font repaître leurs montures. Cacambo propose à son maître de manger, et lui en donne l'exemple. « Comment veux-tu, disait Candide, que je mange du jambon, quand j'ai tué le fils de monsieur le baron, et que je me vois condamné à ne revoir la belle Cunégonde de ma vie ? à quoi me servira de prolonger mes misérables jours, puisque je dois les traîner loin d'elle dans les remords et dans le désespoir ? et que dira le journal de Trévoux[1] ? »

En parlant ainsi, il ne laissait pas[2] de manger. Le soleil se couchait. Les deux égarés entendirent quelques petits cris

1. Journal de Trévoux : publication des jésuites souvent attaquée par Voltaire.
2. Ne laissait pas : n'arrêtait pas.

qui paraissaient poussés par des femmes. Ils ne savaient si ces cris étaient de douleur ou de joie ; mais ils se levèrent précipitamment avec cette inquiétude et cette alarme que tout inspire dans un pays inconnu. Ces clameurs partaient de deux filles toutes nues qui couraient légèrement au bord de la prairie, tandis que deux singes les suivaient en leur mordant les fesses. Candide fut touché de pitié ; il avait appris à tirer chez les Bulgares, et il aurait abattu une noisette dans un buisson sans toucher aux feuilles. Il prend son fusil espagnol à deux coups, tire, et tue les deux singes. « Dieu soit loué, mon cher Cacambo ! j'ai délivré d'un grand péril ces deux pauvres créatures ; si j'ai commis un péché en tuant un inquisiteur et un jésuite, je l'ai bien réparé en sauvant la vie à deux filles. Ce sont peut-être deux demoiselles de condition, et cette aventure nous peut procurer de très grands avantages dans le pays. »

Il allait continuer, mais sa langue devint percluse[1] quand il vit ces deux filles embrasser tendrement les deux singes, fondre en larmes sur leurs corps et remplir l'air des cris les plus douloureux. « Je ne m'attendais pas à tant de bonté d'âme », dit-il enfin à Cacambo ; lequel lui répliqua : « Vous avez fait là un beau chef-d'œuvre, mon maître ; vous avez tué les deux amants de ces demoiselles. – Leurs amants ! serait-il possible ? vous vous moquez de moi, Cacambo ; le moyen de vous croire ? – Mon cher maître, reprit Cacambo, vous êtes toujours étonné de tout ; pourquoi trouvez-vous si étrange que dans quelques pays il y ait des singes qui obtiennent les bonnes grâces des dames ? Ils sont des quarts d'hommes, comme je suis un quart d'Espagnol. – Hélas ! reprit Candide, je me souviens d'avoir entendu dire à maître

1. Percluse : paralysée.

Pangloss qu'autrefois pareils accidents étaient arrivés, et que ces mélanges avaient produit des égipans, des faunes, des satyres[1] ; que plusieurs grands personnages de l'antiquité en avaient vu ; mais je prenais cela pour des fables. – Vous devez être convaincu à présent, dit Cacambo, que c'est une vérité, et vous voyez comment en usent les personnes qui n'ont pas reçu une certaine éducation ; tout ce que je crains, c'est que ces dames ne nous fassent quelque méchante affaire. »

Ces réflexions solides engagèrent Candide à quitter la prairie et à s'enfoncer dans un bois. Il y soupa avec Cacambo ; et tous deux, après avoir maudit l'inquisiteur de Portugal, le gouverneur de Buenos-Ayres et le baron, s'endormirent sur de la mousse. À leur réveil, ils sentirent qu'ils ne pouvaient remuer ; la raison en était que pendant la nuit les Oreillons, habitants du pays, à qui les deux dames les avaient dénoncés, les avaient garrottés avec des cordes d'écorce d'arbre. Ils étaient entourés d'une cinquantaine d'Oreillons tout nus, armés de flèches, de massues et de haches de caillou : les uns faisaient bouillir une grande chaudière ; les autres préparaient des broches, et tous criaient : « C'est un jésuite, c'est un jésuite ! nous serons vengés, et nous ferons bonne chère ; mangeons du jésuite, mangeons du jésuite ! »

« Je vous l'avais bien dit, mon cher maître, s'écria tristement Cacambo, que ces deux filles nous joueraient d'un mauvais tour. » Candide, apercevant la chaudière et les broches, s'écria : « Nous allons certainement être rôtis ou bouillis. Ah ! que dirait maître Pangloss, s'il voyait comme la pure nature est faite ? Tout est bien ; soit, mais j'avoue

1. Égipans, faunes, satyres : figures mi-humaines mi-animales de la mythologie.

qu'il est bien cruel d'avoir perdu Mlle Cunégonde et d'être mis à la broche par des Oreillons. » Cacambo ne perdait jamais la tête. « Ne désespérez de rien, dit-il au désolé Candide ; j'entends un peu le jargon de ces peuples, je vais leur parler. – Ne manquez pas, dit Candide, de leur représenter quelle est l'inhumanité affreuse de faire cuire des hommes, et combien cela est peu chrétien. »

« Messieurs, dit Cacambo, vous comptez donc manger aujourd'hui un jésuite : c'est très bien fait ; rien n'est plus juste que de traiter ainsi ses ennemis. En effet le droit naturel nous enseigne à tuer notre prochain, et c'est ainsi qu'on en agit dans toute la terre. Si nous n'usons pas du droit de le manger, c'est que nous avons d'ailleurs de quoi faire bonne chère ; mais vous n'avez pas les mêmes ressources que nous ; certainement il vaut mieux manger ses ennemis que d'abandonner aux corbeaux et aux corneilles le fruit de sa victoire. Mais, messieurs, vous ne voudriez pas manger vos amis. Vous croyez aller mettre un jésuite en broche, et c'est votre défenseur, c'est l'ennemi de vos ennemis que vous allez rôtir. Pour moi, je suis né dans votre pays ; monsieur que vous voyez est mon maître, et, bien loin d'être jésuite, il vient de tuer un jésuite, il en porte les dépouilles : voilà le sujet de votre méprise. Pour vérifier ce que je vous dis, prenez sa robe, portez-la à la première barrière du royaume de Los Padres ; informez-vous si mon maître n'a pas tué un officier jésuite. Il vous faudra peu de temps ; vous pourrez toujours nous manger si vous trouvez que je vous ai menti. Mais, si je vous ai dit la vérité, vous connaissez trop les principes du droit public, les mœurs et les lois, pour ne nous pas faire grâce. »

Les Oreillons trouvèrent ce discours très raisonnable ; ils

députèrent[1] deux notables pour aller en diligence s'informer de la vérité ; les deux députés s'acquittèrent de leur commission en gens d'esprit, et revinrent bientôt apporter de bonnes nouvelles. Les Oreillons délièrent leurs deux prisonniers, leur firent toutes sortes de civilités, leur offrirent des filles, leur donnèrent des rafraîchissements, et les reconduisirent jusqu'aux confins de leurs États, en criant avec allégresse : « Il n'est point jésuite, il n'est point jésuite ! »

Candide ne se lassait point d'admirer le sujet de sa délivrance. « Quel peuple ! disait-il, quels hommes ! quelles mœurs ! Si je n'avais pas eu le bonheur de donner un grand coup d'épée au travers du corps du frère de Mlle Cunégonde, j'étais mangé sans rémission. Mais, après tout, la pure nature est bonne, puisque ces gens-ci, au lieu de me manger, m'ont fait mille honnêtetés dès qu'ils ont su que je n'étais pas jésuite. »

1. Députèrent : envoyèrent.

Arrivée de Candide et de son valet
au pays d'Eldorado
et ce qu'ils y virent

Quand ils furent aux frontières des Oreillons : « Vous voyez, dit Cacambo à Candide, que cet hémisphère-ci ne vaut pas mieux que l'autre : croyez-moi, retournons en Europe par le plus court. – Comment y retourner ? dit Candide, et où aller ? Si je vais dans mon pays, les Bulgares et les Abares y égorgent tout ; si je retourne en Portugal, j'y suis brûlé ; si nous restons dans ce pays-ci, nous risquons à tout moment d'être mis en broche. Mais comment se résoudre à quitter la partie du monde que Mlle Cunégonde habite ?

– Tournons vers la Cayenne[1], dit Cacambo : nous y trouverons des Français, qui vont par tout le monde ; ils pourront nous aider. Dieu aura peut-être pitié de nous. »

Il n'était pas facile d'aller à la Cayenne : ils savaient bien à peu près de quel côté il fallait marcher ; mais des montagnes, des fleuves, des précipices, des brigands, des sauvages, étaient partout de terribles obstacles. Leurs chevaux moururent de fatigue ; leurs provisions furent consumées ; ils se nourrirent un mois entier de fruits sauvages, et se trou-

1. La Cayenne : colonie française assez éloignée du Paraguay.

vèrent enfin auprès d'une petite rivière bordée de cocotiers, qui soutinrent leur vie et leurs espérances.

Cacambo, qui donnait toujours d'aussi bons conseils que la vieille, dit à Candide : « Nous n'en pouvons plus, nous avons assez marché ; j'aperçois un canot vide sur le rivage, emplissons-le de cocos, jetons-nous dans cette petite barque, laissons-nous aller au courant ; une rivière mène toujours à quelque endroit habité. Si nous ne trouvons pas des choses agréables, nous trouverons du moins des choses nouvelles. – Allons, dit Candide, recommandons-nous à la Providence. »

Ils voguèrent quelques lieues entre des bords tantôt fleuris, tantôt arides, tantôt unis, tantôt escarpés. La rivière s'élargissait toujours ; enfin elle se perdait sous une voûte de rochers épouvantables qui s'élevaient jusqu'au ciel. Les deux voyageurs eurent la hardiesse de s'abandonner aux flots sous cette voûte. Le fleuve, resserré en cet endroit, les porta avec une rapidité et un bruit horrible. Au bout de vingt-quatre heures ils revirent le jour ; mais leur canot se fracassa contre les écueils ; il fallut se traîner de rocher en rocher pendant une lieue entière ; enfin ils découvrirent un horizon immense, bordé de montagnes inaccessibles. Le pays était cultivé pour le plaisir comme pour le besoin ; partout l'utile était agréable. Les chemins étaient couverts ou plutôt ornés de voitures d'une forme et d'une matière brillante, portant des hommes et des femmes d'une beauté singulière, traînés rapidement par de gros moutons rouges[1] qui surpassaient en vitesse les plus beaux chevaux d'Andalousie, de Tétuan et de Méquinez.

« Voilà pourtant, dit Candide, un pays qui vaut mieux que

1. Moutons rouges : des lamas.

la Westphalie.» Il mit pied à terre avec Cacambo auprès du premier village qu'il rencontra. Quelques enfants du village, couverts de brocarts d'or tout déchirés, jouaient au palet à l'entrée du bourg ; nos deux hommes de l'autre monde s'amusèrent à les regarder : leurs palets étaient d'assez larges pièces rondes, jaunes, rouges, vertes, qui jetaient un éclat singulier. Il prit envie aux voyageurs d'en ramasser quelques-uns ; c'était de l'or, c'était des émeraudes, des rubis, dont le moindre aurait été le plus grand ornement du trône du Mongol[1]. «Sans doute, dit Cacambo, ces enfants sont les fils du roi du pays qui jouent au petit palet.» Le magister[2] du village parut dans ce moment pour les faire rentrer à l'école. «Voilà, dit Candide, le précepteur de la famille royale.»

Les petits gueux quittèrent aussitôt le jeu, en laissant à terre leurs palets et tout ce qui avait servi à leurs divertissements. Candide les ramasse, court au précepteur, et les lui présente humblement, lui faisant entendre par signes que Leurs Altesses Royales avaient oublié leur or et leurs pierreries. Le magister du village, en souriant, les jeta par terre, regarda un moment la figure de Candide avec beaucoup de surprise, et continua son chemin.

Les voyageurs ne manquèrent pas de ramasser l'or, les rubis et les émeraudes. «Où sommes-nous ? s'écria Candide ; il faut que les enfants des rois de ce pays soient bien élevés, puisqu'on leur apprend à mépriser l'or et les pierreries.» Cacambo était aussi surpris que Candide. Ils approchèrent enfin de la première maison du village ; elle était bâtie comme un palais d'Europe. Une foule de monde s'empressait à la porte, et encore plus dans le logis. Une musique

1. Mongol : empereur des Indes.
2. Magister : maître d'école.

très agréable se faisait entendre, et une odeur délicieuse de cuisine se faisait sentir. Cacambo s'approcha de la porte, et entendit qu'on parlait péruvien ; c'était sa langue maternelle : car tout le monde sait que Cacambo était né au Tucuman, dans un village où l'on ne connaissait que cette langue. «Je vous servirai d'interprète, dit-il à Candide ; entrons, c'est ici un cabaret. »

Aussitôt deux garçons et deux filles de l'hôtellerie, vêtus de drap d'or, et les cheveux renoués avec des rubans, les invitent à se mettre à la table de l'hôte. On servit quatre potages garnis chacun de deux perroquets, un contour[1] bouilli qui pesait deux cents livres, deux singes rôtis d'un goût excellent, trois cents colibris dans un plat, et six cents oiseaux-mouches dans un autre ; des ragoûts exquis, des pâtisseries délicieuses ; le tout dans des plats d'une espèce de cristal de roche. Les garçons et les filles de l'hôtellerie versaient plusieurs liqueurs faites de canne de sucre.

Les convives étaient pour la plupart des marchands et des voituriers, tous d'une politesse extrême, qui firent quelques questions à Cacambo avec la discrétion la plus circonspecte, et qui répondirent aux siennes d'une manière à le satisfaire.

Quand le repas fut fini, Cacambo crut, ainsi que Candide, bien payer son écot en jetant sur la table de l'hôte deux de ces larges pièces d'or qu'il avait ramassées ; l'hôte et l'hôtesse éclatèrent de rire, et se tinrent longtemps les côtés. Enfin ils se remirent : «Messieurs, dit l'hôte, nous voyons bien que vous êtes des étrangers ; nous ne sommes pas accoutumés à en voir. Pardonnez-nous si nous nous sommes mis à rire quand vous nous avez offert en payement les cailloux de nos grands chemins. Vous n'avez pas sans doute

1. Contour : condor.

de la monnaie du pays, mais il n'est pas nécessaire d'en avoir pour dîner ici. Toutes les hôtelleries établies pour la commodité du commerce sont payées par le gouvernement. Vous avez fait mauvaise chère ici, parce que c'est un pauvre village ; mais partout ailleurs vous serez reçus comme vous méritez de l'être. » Cacambo expliquait à Candide tous les discours de l'hôte, et Candide les écoutait avec la même admiration et le même égarement que son ami Cacambo les rendait. « Quel est donc ce pays, disaient-ils l'un et l'autre, inconnu à tout le reste de la terre, et où toute la nature est d'une espèce si différente de la nôtre ? C'est probablement le pays où tout va bien ; car il faut absolument qu'il y en ait de cette espèce. Et, quoi qu'en dît maître Pangloss, je me suis souvent aperçu que tout allait assez mal en Westphalie. »

Ce qu'ils virent
dans le pays d'Eldorado

Cacambo témoigna à son hôte toute sa curiosité ; l'hôte lui dit : « Je suis fort ignorant, et je m'en trouve bien ; mais nous avons ici un vieillard retiré de la cour, qui est le plus savant homme du royaume, et le plus communicatif. » Aussitôt il mène Cacambo chez le vieillard. Candide ne jouait plus que le second personnage, et accompagnait son valet. Ils entrèrent dans une maison fort simple, car la porte n'était que d'argent, et les lambris des appartements n'étaient que d'or, mais travaillés avec tant de goût que les plus riches lambris[1] ne l'effaçaient pas. L'antichambre n'était à la vérité incrustée que de rubis et d'émeraudes ; mais l'ordre dans lequel tout était arrangé réparait bien cette extrême simplicité.

Le vieillard reçut les deux étrangers sur un sopha matelassé de plumes de colibri, et leur fit présenter des liqueurs dans des vases de diamant ; après quoi il satisfit à leur curiosité en ces termes :

« Je suis âgé de cent soixante et douze ans, et j'ai appris de feu mon père, écuyer du roi, les étonnantes révolutions

1. Lambris : décorations murales.

du Pérou dont il avait été témoin. Le royaume où nous sommes est l'ancienne patrie des Incas, qui en sortirent très imprudemment pour aller subjuguer une partie du monde, et qui furent enfin détruits par les Espagnols.

«Les princes de leur famille qui restèrent dans leur pays natal furent plus sages; ils ordonnèrent, du consentement de la nation, qu'aucun habitant ne sortirait jamais de notre petit royaume; et c'est ce qui nous a conservé notre innocence et notre félicité. Les Espagnols ont eu une connaissance confuse de ce pays, ils l'ont appelé El Dorado, et un Anglais, nommé le chevalier Raleigh, en a même approché il y a environ cent années; mais, comme nous sommes entourés de rochers inabordables et de précipices, nous avons toujours été jusqu'à présent à l'abri de la rapacité des nations de l'Europe, qui ont une fureur inconcevable pour les cailloux et pour la fange de notre terre, et qui, pour en avoir, nous tueraient tous jusqu'au dernier.»

La conversation fut longue; elle roula sur la forme du gouvernement, sur les mœurs, sur les femmes, sur les spectacles publics, sur les arts. Enfin Candide, qui avait toujours du goût pour la métaphysique, fit demander par Cacambo si dans le pays il y avait une religion.

Le vieillard rougit un peu. «Comment donc, dit-il, en pouvez-vous douter? Est-ce que vous nous prenez pour des ingrats?» Cacambo demanda humblement quelle était la religion d'Eldorado. Le vieillard rougit encore. «Est-ce qu'il peut y avoir deux religions? dit-il; nous avons, je crois, la religion de tout le monde : nous adorons Dieu du soir jusqu'au matin. – N'adorez-vous qu'un seul Dieu? dit Cacambo, qui servait toujours d'interprète aux doutes de Candide. – Apparemment, dit le vieillard, qu'il n'y en a ni deux, ni trois, ni quatre. Je vous avoue que les gens de votre

monde font des questions bien singulières.» Candide ne se lassait pas de faire interroger ce bon vieillard ; il voulut savoir comment on priait Dieu dans l'Eldorado. «Nous ne le prions point, dit le bon et respectable sage ; nous n'avons rien à lui demander ; il nous a donné tout ce qu'il nous faut ; nous le remercions sans cesse.» Candide eut la curiosité de voir des prêtres ; il fit demander où ils étaient. Le bon vieillard sourit. «Mes amis, dit-il, nous sommes tous prêtres ; le roi et tous les chefs de famille chantent des cantiques d'actions de grâces solennellement tous les matins ; et cinq ou six mille musiciens les accompagnent.

– Quoi ! vous n'avez point de moines qui enseignent, qui disputent, qui gouvernent, qui cabalent[1], et qui font brûler les gens qui ne sont pas de leur avis ? – Il faudrait que nous fussions fous, dit le vieillard ; nous sommes tous ici du même avis, et nous n'entendons pas ce que vous voulez dire avec vos moines.» Candide à tous ces discours demeurait en extase, et disait en lui-même : «Ceci est bien différent de la Westphalie et du château de monsieur le baron : si notre ami Pangloss avait vu Eldorado, il n'aurait plus dit que le château de Thunder-ten-tronckh était ce qu'il y avait de mieux sur la terre ; il est certain qu'il faut voyager.»

Après cette longue conversation, le bon vieillard fit atteler un carrosse à six moutons, et donna douze de ses domestiques aux deux voyageurs pour les conduire à la cour : «Excusez-moi, leur dit-il, si mon âge me prive de l'honneur de vous accompagner. Le roi vous recevra d'une manière dont vous ne serez pas mécontents, et vous pardonnerez sans doute aux usages du pays s'il y en a quelques-uns qui vous déplaisent.»

1. Cabaler : disputer.

Candide et Cacambo montent en carrosse ; les six moutons volaient, et en moins de quatre heures on arriva au palais du roi, situé à un bout de la capitale. Le portail était de deux cent vingt pieds de haut et de cent de large ; il est impossible d'exprimer quelle en était la matière. On voit assez quelle supériorité prodigieuse elle devait avoir sur ces cailloux et sur ce sable que nous nommons *or* et *pierreries*.

Vingt belles filles de la garde reçurent Candide et Cacambo à la descente du carrosse, les conduisirent aux bains, les vêtirent de robes d'un tissu de duvet de colibri ; après quoi les grands officiers et les grandes officières de la couronne les menèrent à l'appartement de Sa Majesté, au milieu de deux files chacune de mille musiciens, selon l'usage ordinaire. Quand ils approchèrent de la salle du trône, Cacambo demanda à un grand officier comment il fallait s'y prendre pour saluer Sa Majesté ; si on se jetait à genoux ou ventre à terre ; si on mettait les mains sur la tête ou sur le derrière ; si on léchait la poussière de la salle ; en un mot, quelle était la cérémonie. «L'usage, dit le grand officier, est d'embrasser le roi et de le baiser des deux côtés.» Candide et Cacambo sautèrent au cou de Sa Majesté, qui les reçut avec toute la grâce imaginable et qui les pria poliment à souper.

En attendant, on leur fit voir la ville, les édifices publics élevés jusqu'aux nues, les marchés ornés de mille colonnes, les fontaines d'eau pure, les fontaines d'eau rose, celles de liqueurs de canne de sucre, qui coulaient continuellement dans de grandes places, pavées d'une espèce de pierreries qui répandaient une odeur semblable à celle du gérofle et de la cannelle. Candide demanda à voir la cour de justice, le parlement ; on lui dit qu'il n'y en avait point, et qu'on ne plaidait jamais. Il s'informa s'il y avait des prisons, et on lui

dit que non. Ce qui le surprit davantage, et qui lui fit le plus de plaisir, ce fut le palais des sciences, dans lequel il vit une galerie de deux mille pas, toute pleine d'instruments de mathématique et de physique.

Après avoir parcouru, toute l'après-dînée, à peu près la millième partie de la ville, on les ramena chez le roi. Candide se mit à table entre Sa Majesté, son valet Cacambo et plusieurs dames. Jamais on ne fit meilleure chère, et jamais on n'eut plus d'esprit à souper qu'en eut Sa Majesté. Cacambo expliquait les bons mots du roi à Candide, et quoique traduits, ils paraissaient toujours des bons mots. De tout ce qui étonnait Candide, ce n'était pas ce qui l'étonna le moins.

Ils passèrent un mois dans cet hospice. Candide ne cessait de dire à Cacambo : «Il est vrai, mon ami, encore une fois, que le château où je suis né ne vaut pas le pays où nous sommes ; mais enfin Mlle Cunégonde n'y est pas, et vous avez sans doute quelque maîtresse en Europe. Si nous restons ici, nous n'y serons que comme les autres ; au lieu que si nous retournons dans notre monde seulement avec douze moutons chargés de cailloux d'Eldorado, nous serons plus riches que tous les rois ensemble, nous n'aurons plus d'inquisiteurs à craindre, et nous pourrons aisément reprendre Mlle Cunégonde.»

Ce discours plut à Cacambo : on aime tant à courir, à se faire valoir chez les siens, à faire parade de ce qu'on a vu dans ses voyages, que les deux heureux résolurent de ne plus l'être et de demander leur congé à Sa Majesté.

«Vous faites une sottise, leur dit le roi ; je sais bien que mon pays est peu de chose ; mais, quand on est passablement quelque part, il faut y rester ; je n'ai pas assurément le droit de retenir des étrangers ; c'est une tyrannie qui n'est ni

dans nos mœurs, ni dans nos lois : tous les hommes sont libres ; partez quand vous voudrez, mais la sortie est bien difficile. Il est impossible de remonter la rivière rapide sur laquelle vous êtes arrivés par miracle, et qui court sous des voûtes de rochers. Les montagnes qui entourent tout mon royaume ont dix mille pieds de hauteur, et sont droites comme des murailles ; elles occupent chacune en largeur un espace de plus de dix lieues ; on ne peut en descendre que par des précipices. Cependant, puisque vous voulez absolument partir, je vais donner ordre aux intendants des machines d'en faire une qui puisse vous transporter commodément. Quand on vous aura conduits au revers des montagnes, personne ne pourra vous accompagner ; car mes sujets ont fait vœu de ne jamais sortir de leur enceinte, et ils sont trop sages pour rompre leur vœu. Demandez-moi d'ailleurs tout ce qu'il vous plaira. – Nous ne demandons à Votre Majesté, dit Cacambo, que quelques moutons chargés de vivres, de cailloux, et de la boue du pays. » Le roi rit. « Je ne conçois pas, dit-il, quel goût vos gens d'Europe ont pour notre boue jaune ; mais emportez-en tant que vous voudrez, et grand bien vous fasse. »

Il donna l'ordre sur-le-champ à ses ingénieurs de faire une machine pour guinder[1] ces deux hommes extraordinaires hors du royaume. Trois mille bons physiciens y travaillèrent ; elle fut prête au bout de quinze jours, et ne coûta pas plus de vingt millions de livres sterling, monnaie du pays. On mit sur la machine Candide et Cacambo ; il y avait deux grands moutons rouges sellés et bridés pour leur servir de monture quand ils auraient franchi les montagnes, vingt moutons de bât chargés de vivres, trente qui portaient

1. Guinder : hisser avec un câble.

des présents de ce que le pays a de plus curieux, et cinquante chargés d'or, de pierreries et de diamants. Le roi embrassa tendrement les deux vagabonds.

Ce fut un beau spectacle que leur départ, et la manière ingénieuse dont ils furent hissés, eux et leurs moutons, au haut des montagnes. Les physiciens prirent congé d'eux après les avoir mis en sûreté, et Candide n'eut plus d'autre désir et d'autre objet que d'aller présenter ses moutons à Mlle Cunégonde. « Nous avons, dit-il, de quoi payer le gouverneur de Buenos-Ayres, si Mlle Cunégonde peut être mise à prix. Marchons vers la Cayenne, embarquons-nous, et nous verrons ensuite quel royaume nous pourrons acheter. »

Ce qui leur arriva à Surinam,
et comment Candide
fit connaissance avec Martin

La première journée de nos deux voyageurs fut assez agréable. Ils étaient encouragés par l'idée de se voir possesseurs de plus de trésors que l'Asie, l'Europe et l'Afrique n'en pouvaient rassembler. Candide, transporté, écrivit le nom de Cunégonde sur les arbres. À la seconde journée deux de leurs moutons s'enfoncèrent dans des marais, et y furent abîmés avec leurs charges ; deux autres moutons moururent de fatigue quelques jours après ; sept ou huit périrent ensuite de faim dans un désert ; d'autres tombèrent au bout de quelques jours dans des précipices. Enfin, après cent jours de marche, il ne leur resta que deux moutons. Candide dit à Cacambo : « Mon ami, vous voyez comme les richesses de ce monde sont périssables ; il n'y a rien de solide que la vertu et le bonheur de revoir Mlle Cunégonde. – Je l'avoue, dit Cacambo ; mais il nous reste encore deux moutons avec plus de trésors que n'en aura jamais le roi d'Espagne, et je vois de loin une ville que je soupçonne être Surinam[1], appartenant aux Hollandais. Nous sommes au bout de nos peines et au commencement de notre félicité. »

1. Surinam : la Guyane hollandaise.

En approchant de la ville, ils rencontrèrent un nègre étendu par terre, n'ayant plus que la moitié de son habit, c'est-à-dire d'un caleçon de toile bleue ; il manquait à ce pauvre homme la jambe gauche et la main droite. « Eh, mon Dieu ! lui dit Candide en hollandais, que fais-tu là, mon ami, dans l'état horrible où je te vois ? – J'attends mon maître, M. Vanderdendur, le fameux négociant, répondit le nègre. – Est-ce M. Vanderdendur, dit Candide, qui t'a traité ainsi ? – Oui, monsieur, dit le nègre, c'est l'usage. On nous donne un caleçon de toile pour tout vêtement deux fois l'année. Quand nous travaillons aux sucreries, et que la meule nous attrape le doigt, on nous coupe la main ; quand nous voulons nous enfuir, on nous coupe la jambe : je me suis trouvé dans les deux cas. C'est à ce prix que vous mangez du sucre en Europe. Cependant, lorsque ma mère me vendit dix écus patagons sur la côte de Guinée, elle me disait : "Mon cher enfant, bénis nos fétiches, adore-les toujours, ils te feront vivre heureux, tu as l'honneur d'être esclave de nos seigneurs les blancs, et tu fais par là la fortune de ton père et de ta mère." Hélas ! je ne sais pas si j'ai fait leur fortune, mais ils n'ont pas fait la mienne. Les chiens, les singes et les perroquets sont mille fois moins malheureux que nous. Les fétiches[1] hollandais qui m'ont converti me disent tous les dimanches que nous sommes tous enfants d'Adam, blancs et noirs. Je ne suis pas généalogiste ; mais si ces prêcheurs disent vrai, nous sommes tous cousins issus de germains. Or vous m'avouerez qu'on ne peut pas en user avec ses parents d'une manière plus horrible.

– Ô Pangloss ! s'écria Candide, tu n'avais pas deviné cette abomination ; c'en est fait, il faudra qu'à la fin je

1. Fétiches : ici, les pasteurs.

renonce à ton optimisme. – Qu'est-ce qu'optimisme ? disait Cacambo. – Hélas ! dit Candide, c'est la rage de soutenir que tout est bien quand on est mal. » Et il versait des larmes en regardant son nègre, et en pleurant il entra dans Surinam.

La première chose dont ils s'informent, c'est s'il n'y a point au port quelque vaisseau qu'on pût envoyer à Buenos-Ayres. Celui à qui ils s'adressèrent était justement un patron espagnol, qui s'offrit à faire avec eux un marché honnête. Il leur donna rendez-vous dans un cabaret. Candide et le fidèle Cacambo allèrent l'y attendre avec leurs deux moutons.

Candide, qui avait le cœur sur les lèvres, conta à l'Espagnol toutes ses aventures, et lui avoua qu'il voulait enlever Mlle Cunégonde. « Je me garderai bien de vous passer à Buenos-Ayres, dit le patron : je serais pendu et vous aussi. La belle Cunégonde est la maîtresse favorite de monseigneur. » Ce fut un coup de foudre pour Candide ; il pleura longtemps ; enfin il tira à part Cacambo : « Voici, mon cher ami, lui dit-il, ce qu'il faut que tu fasses. Nous avons chacun dans nos poches pour cinq ou six millions de diamants ; tu es plus habile que moi ; va prendre Mlle Cunégonde à Buenos-Ayres. Si le gouverneur fait quelques difficultés, donne-lui un million ; s'il ne se rend pas, donne-lui-en deux ; tu n'as point tué d'inquisiteur, on ne se défiera point de toi. J'équiperai un autre vaisseau ; j'irai t'attendre à Venise ; c'est un pays libre où l'on n'a rien à craindre ni des Bulgares, ni des Abares, ni des Juifs, ni des inquisiteurs. » Cacambo applaudit à cette sage résolution. Il était au désespoir de se séparer d'un bon maître, devenu son ami intime ; mais le plaisir de lui être utile l'emporta sur la douleur de le quitter. Ils s'embrassèrent en versant des larmes. Candide lui recommanda de ne point oublier la bonne vieille.

Cacambo partit dès le jour même : c'était un très bon homme que ce Cacambo.

Candide resta encore quelque temps à Surinam, et attendit qu'un autre patron voulût le mener en Italie, lui et les deux moutons qui lui restaient. Il prit des domestiques, et acheta tout ce qui lui était nécessaire pour un long voyage ; enfin M. Vanderdendur, maître d'un gros vaisseau, vint se présenter à lui. « Combien voulez-vous, demanda-t-il à cet homme, pour me mener en droiture[1] à Venise, moi, mes gens, mon bagage, et les deux moutons que voilà ? » Le patron s'accorda à dix mille piastres. Candide n'hésita pas.

« Oh ! oh ! dit à part soi le prudent Vanderdendur, cet étranger donne dix mille piastres tout d'un coup ! il faut qu'il soit bien riche. » Puis, revenant un moment après, il signifia qu'il ne pouvait partir à moins de vingt mille. « Eh bien ! vous les aurez », dit Candide.

« Ouais ! se dit tout bas le marchand, cet homme donne vingt mille piastres aussi aisément que dix mille. » Il revint encore, et dit qu'il ne pouvait le conduire à Venise à moins de trente mille piastres. « Vous en aurez donc trente mille », répondit Candide.

« Oh ! oh ! se dit encore le marchand hollandais, trente mille piastres ne coûtent rien à cet homme-ci ; sans doute les deux moutons portent des trésors immenses ; n'insistons pas davantage : faisons-nous d'abord payer les trente mille piastres, et puis nous verrons. » Candide vendit deux petits diamants, dont le moindre valait plus que tout l'argent que demandait le patron. Il le paya d'avance. Les deux moutons furent embarqués. Candide suivait dans un petit bateau pour joindre le vaisseau à la rade ; le patron prend son temps, met

1. En droiture : directement.

à la voile, démarre; le vent le favorise. Candide, éperdu et stupéfait, le perd bientôt de vue. «Hélas! cria-t-il, voilà un tour digne de l'ancien monde.» Il retourne au rivage, abîmé dans la douleur; car enfin il avait perdu de quoi faire la fortune de vingt monarques.

Il se transporte chez le juge hollandais; et comme il était un peu troublé, il frappe rudement à la porte; il entre, expose son aventure, et crie un peu plus haut qu'il ne convenait. Le juge commença par lui faire payer dix mille piastres pour le bruit qu'il avait fait. Ensuite il l'écouta patiemment, lui promit d'examiner son affaire sitôt que le marchand serait revenu, et se fit payer dix mille autres piastres pour les frais de l'audience.

Ce procédé acheva de désespérer Candide; il avait à la vérité essuyé des malheurs mille fois plus douloureux; mais le sang-froid du juge, et celui du patron dont il était volé, alluma sa bile[1], et le plongea dans une noire mélancolie. La méchanceté des hommes se présentait à son esprit dans toute sa laideur; il ne se nourrissait que d'idées tristes. Enfin, un vaisseau français étant sur le point de partir pour Bordeaux, comme il n'avait plus de moutons chargés de diamants à embarquer, il loua une chambre du vaisseau à juste prix, et fit signifier dans la ville qu'il payerait le passage, la nourriture, et donnerait deux mille piastres à un honnête homme qui voudrait faire le voyage avec lui, à condition que cet homme serait le plus dégoûté de son état et le plus malheureux de la province.

Il se présenta une foule de prétendants qu'une flotte n'aurait pu contenir. Candide voulant choisir entre les plus apparents[2], il distingua une vingtaine de personnes qui lui

1. Alluma sa bile : excita sa colère.
2. Les plus apparents : les plus remarquables.

paraissaient assez sociables, et qui toutes prétendaient mériter la préférence. Il les assembla dans son cabaret, et leur donna à souper, à condition que chacun ferait serment de raconter fidèlement son histoire, promettant de choisir celui qui lui paraîtrait le plus à plaindre et le plus mécontent de son état à plus juste titre, et de donner aux autres quelques gratifications.

La séance dura jusqu'à quatre heures du matin. Candide, en écoutant toutes leurs aventures, se ressouvenait de ce que lui avait dit la vieille en allant à Buenos-Ayres, et de la gageure qu'elle avait faite, qu'il n'y avait personne sur le vaisseau à qui il ne fût arrivé de très grands malheurs. Il songeait à Pangloss à chaque aventure qu'on lui contait. «Ce Pangloss, disait-il, serait bien embarrassé à démontrer son système. Je voudrais qu'il fût ici. Certainement, si tout va bien, c'est dans Eldorado, et non pas dans le reste de la terre.» Enfin il se détermina en faveur d'un pauvre savant qui avait travaillé dix ans pour les libraires d'Amsterdam. Il jugea qu'il n'y avait point de métier au monde dont on dût être plus dégoûté.

Ce savant, qui était d'ailleurs un bon homme, avait été volé par sa femme, battu par son fils, et abandonné de sa fille qui s'était fait enlever par un Portugais. Il venait d'être privé d'un petit emploi duquel il subsistait; et les prédicants de Surinam le persécutaient parce qu'ils le prenaient pour un socinien[1]. Il faut avouer que les autres étaient pour le moins aussi malheureux que lui; mais Candide espérait que le savant le désennuierait dans le voyage. Tous ses autres rivaux trouvèrent que Candide leur faisait une grande injustice; mais il les apaisa en leur donnant à chacun cent piastres.

1. Socinien : protestant disciple de Socin qui refusait certains dogmes.

Ce qui arriva sur mer
à Candide et à Martin

Le vieux savant, qui s'appelait Martin, s'embarqua donc pour Bordeaux avec Candide. L'un et l'autre avaient beaucoup vu et beaucoup souffert ; et quand le vaisseau aurait dû faire voile de Surinam au Japon par le cap de Bonne-Espérance, ils auraient eu de quoi s'entretenir du mal moral et du mal physique pendant tout le voyage.

Cependant Candide avait un grand avantage sur Martin, c'est qu'il espérait toujours revoir Mlle Cunégonde, et que Martin n'avait rien à espérer ; de plus, il avait de l'or et des diamants ; et, quoiqu'il eût perdu cent gros moutons rouges chargés des plus grands trésors de la terre, quoiqu'il eût toujours sur le cœur la friponnerie du patron hollandais, cependant, quand il songeait à ce qui lui restait dans ses poches, et quand il parlait de Cunégonde, surtout à la fin du repas, il penchait alors pour le système de Pangloss.

« Mais vous, monsieur Martin, dit-il au savant, que pensez-vous de tout cela ? Quelle est votre idée sur le mal moral et le mal physique ? – Monsieur, répondit Martin, mes prêtres m'ont accusé d'être socinien ; mais la vérité du fait est que je suis manichéen[1]. – Vous vous moquez de moi, dit

1. Manichéen : adepte d'une autre hérésie qui se fonde sur la lutte de deux principes du Bien et du Mal.

Candide, il n'y a plus de manichéens dans le monde. – Il y a moi, dit Martin ; je ne sais qu'y faire, mais je ne peux penser autrement. – Il faut que vous ayez le diable au corps, dit Candide. – Il se mêle si fort des affaires de ce monde, dit Martin, qu'il pourrait bien être dans mon corps, comme partout ailleurs ; mais je vous avoue qu'en jetant la vue sur ce globe, ou plutôt sur ce globule, je pense que Dieu l'a abandonné à quelque être malfaisant ; j'en excepte toujours Eldorado. Je n'ai guère vu de ville qui ne désirât la ruine de la ville voisine, point de famille qui ne voulût exterminer quelque autre famille. Partout les faibles ont en exécration les puissants devant lesquels ils rampent, et les puissants les traitent comme des troupeaux dont on vend la laine et la chair. Un million d'assassins enrégimentés, courant d'un bout de l'Europe à l'autre, exerce le meurtre et le brigandage avec discipline pour gagner son pain, parce qu'il n'a pas de métier plus honnête ; et dans les villes qui paraissent jouir de la paix et où les arts fleurissent, les hommes sont dévorés de plus d'envie, de soins et d'inquiétudes qu'une ville assiégée n'éprouve de fléaux. Les chagrins secrets sont encore plus cruels que les misères publiques. En un mot, j'en ai tant vu, et tant éprouvé, que je suis manichéen.

– Il y a pourtant du bon, répliquait Candide. – Cela peut être, disait Martin, mais je ne le connais pas.

Au milieu de cette dispute[1], on entendit un bruit de canon. Le bruit redouble de moment en moment. Chacun prend sa lunette. On aperçoit deux vaisseaux qui combattaient à la distance d'environ trois milles ; le vent les amena l'un et l'autre si près du vaisseau français qu'on eut le plaisir de voir le combat tout à son aise. Enfin l'un des deux

1. Dispute : discussion.

vaisseaux lâcha à l'autre une bordée si bas et si juste qu'il le coula à fond. Candide et Martin aperçurent distinctement une centaine d'hommes sur le tillac du vaisseau qui s'enfonçait ; ils levaient tous les mains au ciel et jetaient des clameurs effroyables ; en un moment tout fut englouti.

« Eh bien ! dit Martin, voilà comme les hommes se traitent les uns les autres. – Il est vrai, dit Candide, qu'il y a quelque chose de diabolique dans cette affaire. » En parlant ainsi, il aperçut je ne sais quoi d'un rouge éclatant qui nageait auprès de son vaisseau. On détacha la chaloupe pour voir ce que ce pouvait être ; c'était un de ses moutons. Candide eut plus de joie de retrouver ce mouton qu'il n'avait été affligé d'en perdre cent tous chargés de gros diamants d'Eldorado.

Le capitaine français aperçut bientôt que le capitaine du vaisseau submergeant était espagnol, et que celui du vaisseau submergé était un pirate hollandais ; c'était celui-là même qui avait volé Candide. Les richesses immenses dont ce scélérat s'était emparé furent ensevelies avec lui dans la mer, et il n'y eut qu'un mouton de sauvé. « Vous voyez, dit Candide à Martin, que le crime est puni quelquefois ; ce coquin de patron hollandais a eu le sort qu'il méritait. – Oui, dit Martin, mais fallait-il que les passagers qui étaient sur son vaisseau périssent aussi ? Dieu a puni ce fripon, le diable a noyé les autres. »

Cependant le vaisseau français et l'espagnol continuèrent leur route, et Candide continua ses conversations avec Martin. Ils disputèrent quinze jours de suite, et au bout de quinze jours ils étaient aussi avancés que le premier. Mais enfin ils parlaient, ils se communiquaient des idées, ils se consolaient. Candide caressait son mouton. « Puisque je t'ai retrouvé, dit-il, je pourrai bien retrouver Cunégonde. »

Candide et Martin
approchent des côtes de France
et raisonnent

On aperçut enfin les côtes de France. « Avez-vous jamais été en France, monsieur Martin ? dit Candide. – Oui, dit Martin, j'ai parcouru plusieurs provinces. Il y en a où la moitié des habitants est folle, quelques-unes où l'on est trop rusé, d'autres où l'on est communément assez doux et assez bête, d'autres où l'on fait le bel esprit ; et dans toutes, la principale occupation est l'amour, la seconde de médire, et la troisième de dire des sottises. – Mais, monsieur Martin, avez-vous vu Paris ? – Oui, j'ai vu Paris ; il tient de toutes ces espèces-là ; c'est un chaos, c'est une presse[1] dans laquelle tout le monde cherche le plaisir, et où presque personne ne le trouve, du moins à ce qu'il m'a paru. J'y ai séjourné peu ; j'y fus volé, en arrivant, de tout ce que j'avais, par des filous, à la foire Saint-Germain ; on me prit moi-même pour un voleur, et je fus huit jours en prison ; après quoi je me fis correcteur d'imprimerie pour gagner de quoi retourner à pied en Hollande. Je connus la canaille écrivante, la canaille cabalante, et la canaille convulsion-

1. Presse : désordre causé par une grande foule.

naire[1]. On dit qu'il y a des gens fort polis dans cette ville-là ; je le veux croire.

– Pour moi, je n'ai nulle curiosité de voir la France, dit Candide ; vous devinez aisément que, quand on a passé un mois dans Eldorado, on ne se soucie plus de rien voir sur la terre que Mlle Cunégonde ; je vais l'attendre à Venise ; nous traverserons la France pour aller en Italie ; ne m'accompagnerez-vous pas ? – Très volontiers, dit Martin ; on dit que Venise n'est bonne que pour les nobles Vénitiens, mais que cependant on y reçoit très bien les étrangers quand ils ont beaucoup d'argent ; je n'en ai point, vous en avez, je vous suivrai partout. – À propos, dit Candide, pensez-vous que la terre ait été originairement une mer, comme on l'assure dans ce gros livre[2] qui appartient au capitaine du vaisseau ? – Je n'en crois rien du tout, dit Martin, non plus que de toutes les rêveries qu'on nous débite depuis quelque temps. – Mais à quelle fin ce monde a-t-il donc été formé ? dit Candide. – Pour nous faire enrager, répondit Martin. – N'êtes-vous pas bien étonné, continua Candide, de l'amour que ces deux filles du pays des Oreillons avaient pour ces deux singes, et dont je vous ai conté l'aventure ? – Point du tout, dit Martin ; je ne vois pas ce que cette passion a d'étrange ; j'ai tant vu de choses extraordinaires, qu'il n'y a plus rien d'extraordinaire. – Croyez-vous, dit Candide, que les hommes se soient toujours mutuellement massacrés comme ils font aujourd'hui ? qu'ils aient toujours été menteurs, fourbes, perfides, ingrats, brigands, faibles, volages, lâches, envieux, gourmands, ivrognes, avares, ambitieux,

1. La canaille écrivante : les journalistes ; cabalante : les religieux ; convulsionnaire : les jansénistes.
2. Ce gros livre : ouvrage de Charles de Brosses, *Histoire des navigations* (1756), ou bien traité de Buffon, *Théorie de la Terre* (1749). Tous deux défendaient ces thèses.

sanguinaires, calomniateurs, débauchés, fanatiques, hypocrites et sots? – Croyez-vous, dit Martin, que les éperviers aient toujours mangé des pigeons quand ils en ont trouvé? – Oui, sans doute, dit Candide. – Eh bien! dit Martin, si les éperviers ont toujours eu le même caractère, pourquoi voulez-vous que les hommes aient changé le leur? – Oh! dit Candide, il y a bien de la différence, car le libre arbitre…» En raisonnant ainsi, ils arrivèrent à Bordeaux.

22

Ce qui arriva en France
à Candide et à Martin

Candide ne s'arrêta dans Bordeaux qu'autant de temps qu'il en fallait pour vendre quelques cailloux du Dorado, et pour s'accommoder d'une bonne chaise à deux places[1] ; car il ne pouvait plus se passer de son philosophe Martin. Il fut seulement très fâché de se séparer de son mouton, qu'il laissa à l'Académie des sciences de Bordeaux, laquelle proposa pour le sujet du prix de cette année de trouver pourquoi la laine de ce mouton était rouge ; et le prix fut adjugé à un savant du Nord, qui démontra par A plus B, moins C, divisé par Z, que le mouton devait être rouge, et mourir de la clavelée[2].

Cependant tous les voyageurs que Candide rencontra dans les cabarets de la route lui disaient : « Nous allons à Paris. » Cet empressement général lui donna enfin l'envie de voir cette capitale ; ce n'était pas beaucoup se détourner du chemin de Venise.

Il entra par le faubourg Saint-Marceau[3], et crut être dans le plus vilain village de la Westphalie.

À peine Candide fut-il dans son auberge qu'il fut attaqué

1. Chaise à deux places : voiture de location pour le voyage.
2. Clavelée : maladie des moutons.
3. Faubourg Saint-Marceau : entrée sud de Paris particulièrement sale.

d'une maladie légère causée par ses fatigues. Comme il avait au doigt un diamant énorme, et qu'on avait aperçu dans son équipage une cassette prodigieusement pesante, il eut aussitôt auprès de lui deux médecins qu'il n'avait pas mandés, quelques amis intimes qui ne le quittèrent pas, et deux dévotes qui faisaient chauffer ses bouillons. Martin disait : «Je me souviens d'avoir été malade aussi à Paris dans mon premier voyage ; j'étais fort pauvre : aussi n'eus-je ni amis, ni dévotes, ni médecins, et je guéris.»

Cependant, à force de médecines et de saignées, la maladie de Candide devint sérieuse. Un habitué du quartier vint avec douceur lui demander un billet payable au porteur pour l'autre monde[1], Candide n'en voulut rien faire. Les dévotes l'assurèrent que c'était une nouvelle mode ; Candide répondit qu'il n'était point homme à la mode. Martin voulut jeter l'habitué par les fenêtres. Le clerc jura qu'on n'enterrerait point Candide. Martin jura qu'il enterrerait le clerc s'il continuait à les importuner. La querelle s'échauffa ; Martin le prit par les épaules et le chassa rudement ; ce qui causa un grand scandale, dont on fit un procès-verbal.

Candide guérit ; et pendant sa convalescence il eut très bonne compagnie à souper chez lui. On jouait gros jeu. Candide était tout étonné que jamais les as ne lui vinssent ; et Martin ne s'en étonnait pas.

Parmi ceux qui lui faisaient les honneurs de la ville, il y avait un petit abbé périgourdin, l'un de ces gens empressés, toujours alertes, toujours serviables, effrontés, caressants, accommodants, qui guettent les étrangers à leur passage, leur content l'histoire scandaleuse de la ville, et leur offrent des plaisirs à tout prix. Celui-ci mena d'abord Candide et

1. L'autre monde : le clergé pouvait réclamer des marques de bon catholicisme pour accorder des obsèques religieuses à un défunt.

Martin à la comédie[1]. On y jouait une tragédie nouvelle. Candide se trouva placé auprès de quelques beaux esprits. Cela ne l'empêcha pas de pleurer à des scènes jouées parfaitement. Un des raisonneurs qui étaient à ses côtés lui dit dans un entracte : «Vous avez grand tort de pleurer : cette actrice est fort mauvaise ; l'acteur qui joue avec elle est plus mauvais acteur encore ; la pièce est encore plus mauvaise que les acteurs ; l'auteur ne sait pas un mot d'arabe, et cependant la scène est en Arabie ; et, de plus, c'est un homme qui ne croit pas aux idées innées[2] : je vous apporterai demain vingt brochures contre lui. – Monsieur, combien avez-vous de pièces de théâtre en France ?» dit Candide à l'abbé ; lequel répondit : «Cinq ou six mille. – C'est beaucoup, dit Candide ; combien y en a-t-il de bonnes ? – Quinze ou seize, répliqua l'autre. – C'est beaucoup», dit Martin.

Candide fut très content d'une actrice qui faisait la reine Élisabeth dans une assez plate tragédie que l'on joue quelquefois. «Cette actrice, dit-il à Martin, me plaît beaucoup ; elle a un faux air de Mlle Cunégonde ; je serais bien aise de la saluer.» L'abbé périgourdin s'offrit à l'introduire chez elle. Candide, élevé en Allemagne, demanda quelle était l'étiquette, et comment on traitait en France les reines d'Angleterre. «Il faut distinguer, dit l'abbé ; en province, on les mène au cabaret ; à Paris, on les respecte quand elles sont belles, et on les jette à la voirie quand elles sont mortes. – Des reines à la voirie ! dit Candide. – Oui vraiment, dit Martin ; monsieur l'abbé a raison : j'étais à Paris quand Mlle Monime[3] passa, comme on dit, de cette vie à l'autre ;

1. La comédie : le théâtre.
2. Idées innées : thèse cartésienne que conteste Voltaire et sans rapport avec la tragédie.
3. Monime : allusion à la comédienne Adrienne Lecouvreur qui joua le rôle de Monime dans *Mithridate* de Racine et qui connut le sort décrit ici.

on lui refusa ce que ces gens-ci appellent *les honneurs de la sépulture,* c'est-à-dire de pourrir avec tous les gueux du quartier dans un vilain cimetière ; elle fut enterrée toute seule de sa bande au coin de la rue de Bourgogne ; ce qui dut lui faire une peine extrême, car elle pensait très noblement. – Cela est bien impoli, dit Candide. – Que voulez-vous ? dit Martin ; ces gens-ci sont ainsi faits. Imaginez toutes les contradictions, toutes les incompatibilités possibles, vous les verrez dans le gouvernement, dans les tribunaux, dans les églises, dans les spectacles de cette drôle de nation. – Est-il vrai qu'on rit toujours à Paris ? dit Candide. – Oui, dit l'abbé, mais c'est en enrageant ; car on s'y plaint de tout avec de grands éclats de rire ; et même on y fait en riant les actions les plus détestables.

– Quel est, dit Candide, ce gros cochon qui me disait tant de mal de la pièce où j'ai tant pleuré et des acteurs qui m'ont fait tant de plaisir ? – C'est un mal vivant, répondit l'abbé, qui gagne sa vie à dire du mal de toutes les pièces et de tous les livres ; il hait quiconque réussit, comme les eunuques haïssent les jouissants : c'est un de ces serpents de la littérature qui se nourrissent de fange et de venin ; c'est un folliculaire[1]. – Qu'appelez-vous folliculaire ? dit Candide. – C'est, dit l'abbé, un faiseur de feuilles, un *Fréron.* »

C'est ainsi que Candide, Martin et le Périgourdin raisonnaient sur l'escalier, en voyant défiler le monde au sortir de la pièce. « Quoique je sois très empressé de revoir Mlle Cunégonde, dit Candide, je voudrais pourtant souper avec Mlle Clairon[2] ; car elle m'a paru admirable. »

1. Folliculaire : mot créé par Voltaire pour désigner un journaliste malfaisant. Fréron fut un adversaire des philosophes.
2. Mlle Clairon : autre actrice célèbre du temps.

L'abbé n'était pas homme à approcher de Mlle Clairon, qui ne voyait que bonne compagnie. «Elle est engagée pour ce soir, dit-il ; mais j'aurai l'honneur de vous mener chez une dame de qualité, et là vous connaîtrez Paris comme si vous y aviez été quatre ans. »

Candide, qui était naturellement curieux, se laissa mener chez la dame, au fond du faubourg Saint-Honoré ; on y était occupé d'un pharaon[1] ; douze tristes pontes tenaient chacun en main un petit livre de cartes, registre cornu de leurs infortunes. Un profond silence régnait, la pâleur était sur le front des pontes, l'inquiétude sur celui du banquier, et la dame du logis, assise auprès de ce banquier impitoyable, remarquait avec des yeux de lynx tous les parolis, tous les sept-et-le-va de campagne, dont chaque joueur cornait ses cartes ; elle les faisait décorner avec une attention sévère mais polie, et ne se fâchait point, de peur de perdre ses pratiques : la dame se faisait appeler la marquise de Parolignac. Sa fille, âgée de quinze ans, était au nombre des pontes et avertissait d'un clin d'œil des friponneries de ces pauvres gens, qui tâchaient de réparer les cruautés du sort. L'abbé périgourdin, Candide et Martin entrèrent ; personne ne se leva, ni les salua, ni les regarda ; tous étaient profondément occupés de leurs cartes. «Madame la baronne de Thunder-ten-tronckh était plus civile», dit Candide.

Cependant l'abbé s'approcha de l'oreille de la marquise, qui se leva à moitié, honora Candide d'un sourire gracieux, et Martin d'un air de tête tout à fait noble ; elle fit donner un siège et un jeu de cartes à Candide, qui perdit cinquante mille francs en deux tailles ; après quoi on soupa très gaiement, et tout le monde était étonné que Candide ne fût pas

1. Pharaon : jeu de hasard proche de la roulette ; le banquier, les pontes, les parolis désignent des joueurs ou des pratiques de jeu.

ému de sa perte ; les laquais disaient entre eux, dans leur langage de laquais : «Il faut que ce soit quelque milord anglais.»

Le souper fut comme la plupart des soupers de Paris : d'abord du silence, ensuite un bruit de paroles qu'on ne distingue point, puis des plaisanteries dont la plupart sont insipides, de fausses nouvelles, de mauvais raisonnements, un peu de politique et beaucoup de médisance ; on parla même de livres nouveaux. «Avez-vous lu, dit l'abbé périgourdin, le roman du sieur Gauchat, docteur en théologie ? – Oui, répondit un des convives, mais je n'ai pu l'achever. Nous avons une foule d'écrits impertinents, mais tous ensemble n'approchent pas de l'impertinence de Gauchat, docteur en théologie ; je suis si rassasié de cette immensité de détestables livres qui nous inondent que je me suis mis à ponter au pharaon. – Et les *Mélanges* de l'archidiacre T[1]..., qu'en dites-vous ? dit l'abbé. – Ah ! dit Mme de Parolignac, l'ennuyeux mortel ! comme il vous dit curieusement tout ce que le monde sait ! comme il discute pesamment ce qui ne vaut pas la peine d'être remarqué légèrement ! comme il s'approprie sans esprit l'esprit des autres ! comme il gâte ce qu'il pille ! comme il me dégoûte ! Mais il ne me dégoûtera plus : c'est assez d'avoir lu quelques pages de l'archidiacre.»

Il y avait à table un homme savant et de goût qui appuya ce que disait la marquise. On parla ensuite de tragédies ; la dame demanda pourquoi il y avait des tragédies qu'on jouait quelquefois, et qu'on ne pouvait lire. L'homme de goût expliqua très bien comment une pièce pouvait avoir quelque intérêt et n'avoir presque aucun mérite ; il prouva en peu de

1. L'archidiacre T… : l'abbé Trublet, autre adversaire des philosophes et de Voltaire.

mots que ce n'était pas assez d'amener une ou deux de ces situations qu'on trouve dans tous les romans, et qui séduisent toujours les spectateurs, mais qu'il faut être neuf sans être bizarre, souvent sublime, et toujours naturel ; connaître le cœur humain et le faire parler ; être grand poète sans que jamais aucun personnage de la pièce paraisse poète ; savoir parfaitement sa langue, la parler avec pureté, avec une harmonie continue, sans que jamais la rime coûte rien au sens. «Quiconque, ajouta-t-il, n'observe pas toutes ces règles peut faire une ou deux tragédies applaudies au théâtre, mais il ne sera jamais compté au rang des bons écrivains ; il y a très peu de bonnes tragédies ; les unes sont des idylles en dialogues bien écrits et bien rimés ; les autres, des raisonnements politiques qui endorment, ou des amplifications qui rebutent ; les autres, des rêves d'énergumène, en style barbare, des propos interrompus, de longues apostrophes aux dieux, parce qu'on ne sait point parler aux hommes, des maximes fausses, des lieux communs ampoulés. »

Candide écouta ce propos avec attention, et conçut une grande idée du discoureur ; et, comme la marquise avait eu soin de le placer à côté d'elle, il s'approcha de son oreille, et prit la liberté de lui demander qui était cet homme qui parlait si bien. «C'est un savant, dit la dame, qui ne ponte point, et que l'abbé m'amène quelquefois à souper ; il se connaît parfaitement en tragédies et en livres, et il a fait une tragédie sifflée et un livre dont on n'a jamais vu hors de la boutique de son libraire qu'un exemplaire qu'il m'a dédié. – Le grand homme ! dit Candide ; c'est un autre Pangloss. »

Alors, se tournant vers lui, il lui dit : «Monsieur, vous pensez sans doute que tout est au mieux dans le monde physique et dans le moral, et que rien ne pouvait être autrement ? – Moi, monsieur, lui répondit le savant, je ne pense

rien de tout cela : je trouve que tout va de travers chez nous ; que personne ne sait ni quel est son rang, ni quelle est sa charge, ni ce qu'il fait, ni ce qu'il doit faire, et qu'excepté le souper, qui est assez gai et où il paraît assez d'union, tout le reste du temps se passe en querelles impertinentes : jansénistes contre molinistes[1], gens du parlement contre gens d'église, gens de lettres contre gens de lettres, courtisans contre courtisans, financiers contre le peuple, femmes contre maris, parents contre parents ; c'est une guerre éternelle. »

Candide lui répliqua : «J'ai vu pis. Mais un sage, qui depuis a eu le malheur d'être pendu, m'apprit que tout cela est à merveille ; ce sont des ombres à un beau tableau. – Votre pendu se moquait du monde, dit Martin ; vos ombres sont des taches horribles. – Ce sont les hommes qui font les taches, dit Candide, et ils ne peuvent pas s'en dispenser. – Ce n'est donc pas leur faute», dit Martin. La plupart des pontes, qui n'entendaient rien à ce langage, buvaient ; et Martin raisonna avec le savant, et Candide raconta une partie de ses aventures à la dame du logis.

Après soupé, la marquise mena Candide dans son cabinet et le fit asseoir sur un canapé. «Eh bien ! lui dit-elle, vous aimez donc toujours éperdument Mlle Cunégonde de Thunder-ten-tronckh ? – Oui, madame », répondit Candide. La marquise lui répliqua avec un souris[2] tendre : « Vous me répondez comme un jeune homme de Westphalie ; un Français m'aurait dit : "Il est vrai que j'ai aimé Mlle Cunégonde ; mais en vous voyant, madame, je crains de ne la plus aimer." – Hélas ! madame, dit Candide, je répondrai comme vous voudrez. – Votre passion pour elle, dit la mar-

1. Molinistes : les jésuites.
2. Souris : sourire.

quise, a commencé en ramassant son mouchoir; je veux que vous ramassiez ma jarretière. – De tout mon cœur», dit Candide; et il la ramassa. «Mais je veux que vous me la remettiez», dit la dame; et Candide la lui remit. «Voyez-vous, dit la dame, vous êtes étranger, je fais quelquefois languir mes amants de Paris quinze jours, mais je me rends à vous dès la première nuit, parce qu'il faut faire les honneurs de son pays à un jeune homme de Westphalie.» La belle, ayant aperçu deux énormes diamants aux deux mains de son jeune étranger, les loua de si bonne foi que des doigts de Candide ils passèrent aux doigts de la marquise.

Candide, en s'en retournant avec son abbé périgourdin, sentit quelques remords d'avoir fait une infidélité à Mlle Cunégonde; monsieur l'abbé entra dans sa peine; il n'avait qu'une légère part aux cinquante mille livres perdues au jeu par Candide, et à la valeur des deux brillants moitié donnés, moitié extorqués. Son dessein était de profiter, autant qu'il le pourrait, des avantages que la connaissance de Candide pouvait lui procurer. Il lui parla beaucoup de Cunégonde; et Candide lui dit qu'il demanderait bien pardon à cette belle de son infidélité, quand il la verrait à Venise.

Le Périgourdin redoublait de politesse et d'attentions, et prenait un intérêt tendre à tout ce que Candide disait, à tout ce qu'il faisait, à tout ce qu'il voulait faire.

«Vous avez donc, monsieur, lui dit-il, un rendez-vous à Venise? – Oui, monsieur l'abbé, dit Candide; il faut absolument que j'aille trouver Mlle Cunégonde.» Alors, engagé par le plaisir de parler de ce qu'il aimait, il conta, selon son usage, une partie de ses aventures avec cette illustre Westphalienne.

« Je crois, dit l'abbé, que Mlle Cunégonde a bien de l'esprit, et qu'elle écrit des lettres charmantes ? – Je n'en ai jamais reçu, dit Candide ; car figurez-vous qu'ayant été chassé du château pour l'amour d'elle, je ne pus lui écrire ; que bientôt après j'appris qu'elle était morte, qu'ensuite je la retrouvai, et que je la perdis, et que je lui ai envoyé à deux mille cinq cents lieues d'ici un exprès[1] dont j'attends la réponse. »

L'abbé écoutait attentivement, et paraissait un peu rêveur. Il prit bientôt congé des deux étrangers, après les avoir tendrement embrassés. Le lendemain Candide reçut à son réveil une lettre conçue en ces termes :

Monsieur, mon très cher amant, il y a huit jours que je suis malade en cette ville ; j'apprends que vous y êtes. Je volerais dans vos bras si je pouvais remuer. J'ai su votre passage à Bordeaux ; j'y ai laissé le fidèle Cacambo et la vieille, qui doivent bientôt me suivre. Le gouverneur de Buenos-Ayres a tout pris, mais il me reste votre cœur. Venez, votre présence me rendra la vie, ou me fera mourir de plaisir.

Cette lettre charmante, cette lettre inespérée, transporta Candide d'une joie inexprimable ; et la maladie de sa chère Cunégonde l'accabla de douleur. Partagé entre ces deux sentiments, il prend son or et ses diamants, et se fait conduire avec Martin à l'hôtel où Mlle Cunégonde demeurait. Il entre en tremblant d'émotion, son cœur palpite, sa voix sanglote ; il veut ouvrir les rideaux du lit, il veut faire apporter de la lumière. « Gardez-vous-en bien, lui dit la sui-

1. Exprès : un messager.

vante, la lumière la tue» ; et soudain elle referme le rideau. «Ma chère Cunégonde, dit Candide en pleurant, comment vous portez-vous ? si vous ne pouvez me voir, parlez-moi du moins. – Elle ne peut parler », dit la suivante. La dame alors tire du lit une main potelée que Candide arrose longtemps de ses larmes, et qu'il remplit ensuite de diamants, en laissant un sac plein d'or sur le fauteuil.

Au milieu de ses transports arrive un exempt[1] suivi de l'abbé périgourdin et d'une escouade. «Voilà donc, dit-il, ces deux étrangers suspects ? » Il les fait incontinent saisir, et ordonne à ses braves de les traîner en prison. «Ce n'est pas ainsi qu'on traite les voyageurs dans le Dorado, dit Candide. – Je suis plus manichéen que jamais, dit Martin. – Mais, monsieur, où nous menez-vous ? dit Candide. – Dans un cul de basse-fosse[2] », dit l'exempt.

Martin, ayant repris son sang-froid, jugea que la dame qui se prétendait Cunégonde était une friponne, monsieur l'abbé périgourdin un fripon qui avait abusé au plus vite de l'innocence de Candide, et l'exempt un autre fripon dont on pouvait aisément se débarrasser.

Plutôt que de s'exposer aux procédures de la justice, Candide, éclairé par son conseil, et d'ailleurs toujours impatient de revoir la véritable Cunégonde, propose à l'exempt trois petits diamants d'environ trois mille pistoles chacun. «Ah ! monsieur, lui dit l'homme au bâton d'ivoire, eussiez-vous commis tous les crimes imaginables, vous êtes le plus honnête homme du monde ; trois diamants ! chacun de trois mille pistoles ! Monsieur ! je me ferais tuer pour vous, au lieu de vous mener dans un cachot. On arrête tous les étrangers, mais laissez-moi faire ; j'ai un frère à Dieppe en Normandie,

1. Un exempt : un officier de police.
2. Un cul de basse-fosse : un cachot.

je vais vous y mener ; et si vous avez quelque diamant à lui donner, il aura soin de vous comme moi-même.

– Et pourquoi arrête-t-on tous les étrangers ? » dit Candide. L'abbé périgourdin prit alors la parole et dit : « C'est parce qu'un gueux du pays d'Atrébatie a entendu dire des sottises : cela seul lui a fait commettre un parricide, non pas tel que celui de 1610 au mois de mai, mais tel que celui de 1594 au mois de décembre, et tel que plusieurs autres commis dans d'autres années et dans d'autres mois par d'autres gueux qui avaient entendu dire des sottises[1]. »

L'exempt alors expliqua de quoi il s'agissait. « Ah, les monstres ! s'écria Candide ; quoi ! de telles horreurs chez un peuple qui danse et qui chante ! Ne pourrai-je sortir au plus vite de ce pays où des singes agacent des tigres ? J'ai vu des ours dans mon pays ; je n'ai vu des hommes que dans le Dorado. Au nom de Dieu, monsieur l'exempt, menez-moi à Venise, où je dois attendre Mlle Cunégonde. – Je ne peux vous mener qu'en Basse-Normandie », dit le barigel[2]. Aussitôt il lui fait ôter ses fers, dit qu'il s'est mépris, renvoie ses gens et emmène à Dieppe Candide et Martin, et les laisse entre les mains de son frère. Il y avait un petit vaisseau hollandais à la rade. Le Normand, à l'aide de trois autres diamants, devenu le plus serviable des hommes, embarque Candide et ses gens dans le vaisseau qui allait faire voile pour Portsmouth en Angleterre. Ce n'était pas le chemin de Venise ; mais Candide croyait être délivré de l'enfer, et il comptait bien reprendre la route de Venise à la première occasion.

1. Des sottises : allusion à l'attentat de Damiens contre Louis XV, imité de ceux de 1610 et 1594 contre Henri IV. Les « sottises » désignent l'endoctrinement qui a motivé l'acte.
2. Barigel : chef de police.

Candide et Martin
vont sur les côtes d'Angleterre ;
ce qu'ils y voient

« Ah, Pangloss ! Pangloss ! Ah, Martin ! Martin ! Ah, ma chère Cunégonde ! qu'est-ce que ce monde-ci ? disait Candide sur le vaisseau hollandais. – Quelque chose de bien fou et de bien abominable, répondait Martin. – Vous connaissez l'Angleterre ; y est-on aussi fou qu'en France ? – C'est une autre espèce de folie, dit Martin. Vous savez que ces deux nations sont en guerre pour quelques arpents de neige vers le Canada, et qu'elles dépensent pour cette belle guerre beaucoup plus que tout le Canada ne vaut. De vous dire précisément s'il y a plus de gens à lier dans un pays que dans un autre, c'est ce que mes faibles lumières ne me permettent pas. Je sais seulement qu'en général les gens que nous allons voir sont fort atrabilaires[1]. »

En causant ainsi ils abordèrent à Portsmouth ; une multitude de peuple couvrait le rivage, et regardait attentivement un assez gros homme qui était à genoux, les yeux bandés, sur le tillac d'un des vaisseaux de la flotte ; quatre soldats, postés vis-à-vis de cet homme, lui tirèrent chacun trois balles dans le crâne le plus paisiblement du monde, et toute

1. Atrabilaires : tristes et coléreux.

l'assemblée s'en retourna extrêmement satisfaite. «Qu'est-ce donc que tout ceci? dit Candide, et quel démon exerce partout son empire?» Il demanda qui était ce gros homme qu'on venait de tuer en cérémonie. «C'est un amiral, lui répondit-on. – Et pourquoi tuer cet amiral? – C'est, lui dit-on, parce qu'il n'a pas fait tuer assez de monde; il a livré un combat à un amiral français, et on a trouvé qu'il n'était pas assez près de lui. – Mais, dit Candide, l'amiral français était aussi loin de l'amiral anglais que celui-ci l'était de l'autre! – Cela est incontestable, lui répliqua-t-on; mais dans ce pays-ci il est bon de tuer de temps en temps un amiral pour encourager les autres.»

Candide fut si étourdi et si choqué de ce qu'il voyait, et de ce qu'il entendait, qu'il ne voulut pas seulement mettre pied à terre, et qu'il fit son marché avec le patron hollandais (dût-il le voler comme celui de Surinam) pour le conduire sans délai à Venise.

Le patron fut prêt au bout de deux jours. On côtoya la France; on passa à la vue de Lisbonne, et Candide frémit. On entra dans le détroit et dans la Méditerranée; enfin on aborda à Venise. «Dieu soit loué! dit Candide en embrassant Martin; c'est ici que je reverrai la belle Cunégonde. Je compte sur Cacambo comme sur moi-même. Tout est bien, tout va bien, tout va le mieux qu'il soit possible.»

24

De Paquette et de frère Giroflée

Dès qu'il fut à Venise, il fit chercher Cacambo dans tous les cabarets, dans tous les cafés, chez toutes les filles de joie, et ne le trouva point. Il envoyait tous les jours à la découverte de tous les vaisseaux et de toutes les barques : nulles nouvelles de Cacambo. « Quoi ! disait-il à Martin, j'ai eu le temps de passer de Surinam à Bordeaux, d'aller de Bordeaux à Paris, de Paris à Dieppe, de Dieppe à Portsmouth, de côtoyer le Portugal et l'Espagne, de traverser toute la Méditerranée, de passer quelques mois à Venise, et la belle Cunégonde n'est point venue ! Je n'ai rencontré au lieu d'elle qu'une drôlesse et un abbé périgourdin ! Cunégonde est morte sans doute, je n'ai plus qu'à mourir. Ah ! il valait mieux rester dans le paradis du Dorado que de revenir dans cette maudite Europe. Que vous avez raison, mon cher Martin ! tout n'est qu'illusion et calamité. »

Il tomba dans une mélancolie noire, et ne prit aucune part à l'opéra *alla moda* ni aux autres divertissements du carnaval ; pas une dame ne lui donna la moindre tentation. Martin lui dit : « Vous êtes bien simple, en vérité, de vous figurer qu'un valet métis, qui a cinq ou six millions dans ses poches, ira chercher votre maîtresse au bout du monde et

vous l'amènera à Venise. Il la prendra pour lui, s'il la trouve. S'il ne la trouve pas, il en prendra une autre ; je vous conseille d'oublier votre valet Cacambo et votre maîtresse Cunégonde. » Martin n'était pas consolant. La mélancolie de Candide augmenta, et Martin ne cessait de lui prouver qu'il y avait peu de vertu et peu de bonheur sur la terre, excepté peut-être dans Eldorado, où personne ne pouvait aller.

En disputant sur cette matière importante, et en attendant Cunégonde, Candide aperçut un jeune théatin[1] dans la place Saint-Marc, qui tenait sous le bras une fille. Le théatin paraissait frais, potelé, vigoureux ; ses yeux étaient brillants, son air assuré, sa mine haute, sa démarche fière. La fille était très jolie et chantait ; elle regardait amoureusement son théatin, et de temps en temps lui pinçait ses grosses joues. « Vous m'avouerez du moins, dit Candide à Martin, que ces gens-ci sont heureux. Je n'ai trouvé jusqu'à présent dans toute la terre habitable, excepté dans Eldorado, que des infortunés ; mais, pour cette fille et ce théatin, je gage que ce sont des créatures très heureuses. – Je gage que non, dit Martin. – Il n'y a qu'à les prier à dîner, dit Candide, et vous verrez si je me trompe. »

Aussitôt il les aborde, il leur fait son compliment, et les invite à venir à son hôtellerie manger des macaronis, des perdrix de Lombardie, des œufs d'esturgeon, et à boire du vin de Montepulciano, du lacrima-christi, du chypre et du samos. La demoiselle rougit, le théatin accepta la partie, et la fille le suivit en regardant Candide avec des yeux de surprise et de confusion qui furent obscurcis de quelques larmes. À peine fut-elle entrée dans la chambre de Candide qu'elle lui dit : « Eh quoi ! monsieur Candide ne reconnaît

1. Théatin : moine d'un ordre italien.

plus Paquette!» À ces mots, Candide, qui ne l'avait pas considérée jusque-là avec attention, parce qu'il n'était occupé que de Cunégonde, lui dit : «Hélas! ma pauvre enfant, c'est donc vous qui avez mis le docteur Pangloss dans le bel état où je l'ai vu?

– Hélas! monsieur, c'est moi-même, dit Paquette; je vois que vous êtes instruit de tout. J'ai su les malheurs épouvantables arrivés à toute la maison de madame la baronne et à la belle Cunégonde. Je vous jure que ma destinée n'a guère été moins triste. J'étais fort innocente quand vous m'avez vue. Un cordelier qui était mon confesseur me séduisit aisément. Les suites en furent affreuses; je fus obligée de sortir du château quelques temps après que monsieur le baron vous eut renvoyé à grands coups de pied dans le derrière. Si un fameux médecin n'avait pas pris pitié de moi, j'étais morte. Je fus quelque temps par reconnaissance la maîtresse de ce médecin. Sa femme, qui était jalouse à la rage, me battait tous les jours impitoyablement; c'était une furie. Ce médecin était le plus laid de tous les hommes, et moi la plus malheureuse de toutes les créatures d'être battue continuellement pour un homme que je n'aimais pas. Vous savez, monsieur, combien il est dangereux pour une femme acariâtre d'être l'épouse d'un médecin. Celui-ci, outré des procédés de sa femme, lui donna un jour, pour la guérir d'un petit rhume, une médecine si efficace qu'elle en mourut en deux heures de temps dans des convulsions horribles. Les parents de madame intentèrent à monsieur un procès criminel; il prit la fuite, et moi je fus mise en prison. Mon innocence ne m'aurait pas sauvée si je n'avais été un peu jolie. Le juge m'élargit[1] à condition qu'il succéderait au médecin. Je

1. M'élargit : me rendit la liberté.

fus bientôt supplantée par une rivale, chassée sans récompense, et obligée de continuer ce métier abominable qui vous paraît si plaisant à vous autres hommes, et qui n'est pour nous qu'un abîme de misères. J'allai exercer la profession à Venise. Ah ! monsieur, si vous pouviez vous imaginer ce que c'est que d'être obligée de caresser indifféremment un vieux marchand, un avocat, un moine, un gondolier, un abbé ; d'être exposée à toutes les insultes, à toutes les avanies ; d'être souvent réduite à emprunter une jupe pour aller se la faire lever par un homme dégoûtant ; d'être volée par l'un de ce qu'on a gagné avec l'autre ; d'être rançonnée par les officiers de justice, et de n'avoir en perspective qu'une vieillesse affreuse, un hôpital et un fumier, vous concluriez que je suis une des plus malheureuses créatures du monde. »

Paquette ouvrait ainsi son cœur au bon Candide, dans un cabinet, en présence de Martin, qui disait à Candide : « Vous voyez que j'ai déjà gagné la moitié de la gageure. »

Frère Giroflée était resté dans la salle à manger, et buvait un coup en attendant le dîner. « Mais, dit Candide à Paquette, vous aviez l'air si gai, si content, quand je vous ai rencontrée ; vous chantiez, vous caressiez le théatin avec une complaisance naturelle ; vous m'avez paru aussi heureuse que vous prétendez être infortunée. – Ah ! monsieur, répondit Paquette, c'est encore là une des misères du métier. J'ai été hier volée et battue par un officier, et il faut aujourd'hui que je paraisse de bonne humeur pour plaire à un moine. »

Candide n'en voulut pas davantage ; il avoua que Martin avait raison. On se mit à table avec Paquette et le théatin, le repas fut assez amusant, et sur la fin on se parla avec quelque confiance. « Mon Père, dit Candide au moine, vous

me paraissez jouir d'une destinée que tout le monde doit envier ; la fleur de la santé brille sur votre visage, votre physionomie annonce le bonheur ; vous avez une très jolie fille pour votre récréation, et vous paraissez très content de votre état de théatin.

— Ma foi, monsieur, dit frère Giroflée, je voudrais que tous les théatins fussent au fond de la mer. J'ai été tenté cent fois de mettre le feu au couvent, et d'aller me faire turc. Mes parents me forcèrent à l'âge de quinze ans d'endosser cette détestable robe, pour laisser plus de fortune à un maudit frère aîné que Dieu confonde ! La jalousie, la discorde, la rage, habitent dans le couvent. Il est vrai que j'ai prêché quelques mauvais sermons qui m'ont valu un peu d'argent, dont le prieur me vole la moitié : le reste me sert à entretenir des filles ; mais, quand je rentre le soir dans le monastère, je suis prêt de me casser la tête contre les murs du dortoir ; et tous mes confrères sont dans le même cas. »

Martin se tournant vers Candide avec son sang-froid ordinaire : « Eh bien ! lui dit-il, n'ai-je pas gagné la gageure tout entière ? » Candide donna deux mille piastres à Paquette et mille piastres à frère Giroflée. « Je vous réponds, dit-il, qu'avec cela ils seront heureux. — Je n'en crois rien du tout, dit Martin ; vous les rendrez peut-être avec ces piastres beaucoup plus malheureux encore. — Il en sera ce qui pourra, dit Candide ; mais une chose me console, je vois qu'on retrouve souvent les gens qu'on ne croyait jamais retrouver ; il se pourra bien faire qu'ayant rencontré mon mouton rouge et Paquette, je rencontre aussi Cunégonde. — Je souhaite, dit Martin, qu'elle fasse un jour votre bonheur ; mais c'est de quoi je doute fort. — Vous êtes bien dur, dit Candide. — C'est que j'ai vécu, dit Martin.

— Mais regardez ces gondoliers, dit Candide ; ne chan-

tent-ils pas sans cesse ? – Vous ne les voyez pas dans leur ménage, avec leurs femmes et leurs marmots d'enfants, dit Martin. Le doge a ses chagrins, les gondoliers ont les leurs. Il est vrai qu'à tout prendre le sort d'un gondolier est préférable à celui d'un doge ; mais je crois la différence si médiocre que cela ne vaut pas la peine d'être examiné.

– On parle, dit Candide, du sénateur Pococuranté qui demeure dans ce beau palais sur la Brenta, et qui reçoit assez bien les étrangers. On prétend que c'est un homme qui n'a jamais eu de chagrin. – Je voudrais voir une espèce si rare », dit Martin. Candide aussitôt fit demander au seigneur Pococuranté la permission de venir le voir le lendemain.

Visite chez le Seigneur Pococuranté,
noble vénitien

Candide et Martin allèrent en gondole sur la Brenta et arrivèrent au palais du noble Pococuranté. Les jardins étaient bien entendus[1], et ornés de belles statues de marbre; le palais, d'une belle architecture. Le maître du logis, homme de soixante ans, fort riche, reçut très poliment les deux curieux, mais avec très peu d'empressement, ce qui déconcerta Candide et ne déplut point à Martin.

D'abord deux filles jolies et proprement mises servirent du chocolat qu'elles firent très bien mousser. Candide ne put s'empêcher de les louer sur leur beauté, sur leur bonne grâce et sur leur adresse. «Ce sont d'assez bonnes créatures, dit le sénateur Pococuranté; je les fais quelquefois coucher dans mon lit, car je suis bien las des dames de la ville, de leurs coquetteries, de leurs jalousies, de leurs querelles, de leurs humeurs, de leurs petitesses, de leur orgueil, de leurs sottises, et des sonnets qu'il faut faire ou commander pour elles; mais, après tout, ces deux filles commencent fort à m'ennuyer.»

Candide, après le déjeuner, se promenant dans une

1. Bien entendus : bien dessinés.

longue galerie, fut surpris de la beauté des tableaux. Il demanda de quel maître étaient les deux premiers. «Ils sont de Raphaël, dit le sénateur; je les achetai fort cher par vanité il y a quelques années; on dit que c'est ce qu'il y a de plus beau en Italie, mais ils ne me plaisent point du tout: la couleur en est très rembrunie; les figures ne sont pas assez arrondies, et ne sortent point assez; les draperies ne ressemblent en rien à une étoffe; en un mot, quoi qu'on en dise, je ne trouve point là une imitation vraie de la nature. Je n'aimerai un tableau que quand je croirai voir la nature elle-même: il n'y en a point de cette espèce. J'ai beaucoup de tableaux mais je ne les regarde plus.»

Pococuranté, en attendant le dîner, se fit donner un concerto. Candide trouva la musique délicieuse. «Ce bruit, dit Pococuranté, peut amuser une demi-heure; mais, s'il dure plus longtemps, il fatigue tout le monde, quoique personne n'ose l'avouer. La musique aujourd'hui n'est plus que l'art d'exécuter des choses difficiles, et ce qui n'est que difficile ne plaît point à la longue.

«J'aimerais peut-être mieux l'opéra, si on n'avait pas trouvé le secret d'en faire un monstre qui me révolte. Ira voir qui voudra de mauvaises tragédies en musique, où les scènes ne sont faites que pour amener, très mal à propos, deux ou trois chansons ridicules qui font valoir le gosier d'une actrice; se pâmera de plaisir qui voudra, ou qui pourra, en voyant un châtré fredonner le rôle de César et de Caton et se promener d'un air gauche sur des planches; pour moi, il y a longtemps que j'ai renoncé à ces pauvretés, qui font aujourd'hui la gloire de l'Italie, et que des souverains payent si chèrement.» Candide disputa un peu, mais avec discrétion. Martin fut entièrement de l'avis du sénateur.

On se mit à table, et après un excellent dîner, on entra dans la bibliothèque. Candide, en voyant un Homère magnifiquement relié, loua l'illustrissime sur son bon goût. « Voilà, dit-il, un livre qui faisait les délices du grand Pangloss, le meilleur philosophe de l'Allemagne. – Il ne fait pas les miennes, dit froidement Pococuranté ; on me fit accroire autrefois que j'avais du plaisir en le lisant ; mais cette répétition continuelle de combats qui se ressemblent tous, ces dieux qui agissent toujours pour ne rien faire de décisif, cette Hélène qui est le sujet de la guerre, et qui à peine est une actrice de la pièce ; cette Troie qu'on assiège et qu'on ne prend point, tout cela me causait le plus mortel ennui. J'ai demandé quelquefois à des savants s'ils s'ennuyaient autant que moi à cette lecture. Tous les gens sincères m'ont avoué que le livre leur tombait des mains, mais qu'il fallait toujours l'avoir dans sa bibliothèque, comme un monument de l'antiquité, et comme ces médailles rouillées qui ne peuvent être de commerce.

– Votre Excellence ne pense pas ainsi de Virgile ? dit Candide. – Je conviens, dit Pococuranté, que le second, le quatrième et le sixième livre de son *Énéide* sont excellents ; mais pour son pieux Énée, et le fort Cloanthe, et l'ami Achates, et le petit Ascanius, et l'imbécile roi Latinus, et la bourgeoise Amata, et l'insipide Lavinia, je ne crois pas qu'il y ait rien de si froid et de plus désagréable. J'aime mieux le Tasse et les contes à dormir debout de l'Arioste[1].

– Oserais-je vous demander, monsieur, dit Candide, si vous n'avez pas un grand plaisir à lire Horace ? – Il y a des maximes, dit Pococuranté, dont un homme du monde peut faire son profit, et qui, étant resserrées dans des vers éner-

1. Le Tasse et l'Arioste : poètes italiens auteurs d'épopées en vers.

giques, se gravent plus aisément dans la mémoire. Mais je me soucie fort peu de son voyage à Brindes, et de sa description d'un mauvais dîner, et de la querelle des crocheteurs entre je ne sais quel Pupilus, dont les paroles, dit-il, *étaient pleines de pus,* et un autre dont les paroles *étaient du vinaigre.* Je n'ai lu qu'avec un extrême dégoût ses vers grossiers contre des vieilles et contre des sorcières ; et je ne vois pas quel mérite il peut y avoir à dire à son ami Mæcenas que, s'il est mis par lui au rang des poètes lyriques, il frappera les astres de son front sublime. Les sots admirent tout dans un auteur estimé. Je ne lis que pour moi ; je n'aime que ce qui est à mon usage. » Candide, qui avait été élevé à ne jamais juger de rien par lui-même, était fort étonné de ce qu'il entendait ; et Martin trouvait la façon de penser de Pococuranté assez raisonnable.

« Oh ! voici un Cicéron, dit Candide ; pour ce grand homme-là, je pense que vous ne vous lassez point de le lire ? – Je ne le lis jamais, répondit le Vénitien. Que m'importe qu'il ait plaidé pour Rabirius ou pour Cluentius ? J'ai bien assez des procès que je juge ; je me serais mieux accommodé de ses œuvres philosophiques ; mais, quand j'ai vu qu'il doutait de tout, j'ai conclu que j'en savais autant que lui, et que je n'avais besoin de personne pour être ignorant.

– Ah ! voilà quatre-vingts volumes de recueils d'une académie des sciences, s'écria Martin ; il se peut qu'il y ait là du bon. – Il y en aurait, dit Pococuranté, si un seul des auteurs de ces fatras avait inventé seulement l'art de faire des épingles ; mais il n'y a dans tous ces livres que de vains systèmes et pas une seule chose utile.

– Que de pièces de théâtre je vois là ! dit Candide ; en italien, en espagnol, en français ! – Oui, dit le sénateur, il y en

a trois mille, et pas trois douzaines de bonnes. Pour ces recueils de sermons, qui tous ensemble ne valent pas une page de Sénèque, et tous ces gros volumes de théologie, vous pensez bien que je ne les ouvre jamais, ni moi ni personne. »

Martin aperçut des rayons chargés de livres anglais. « Je crois, dit-il, qu'un républicain doit se plaire à la plupart de ces ouvrages, écrits si librement. – Oui, répondit Pococuranté, il est beau d'écrire ce qu'on pense ; c'est le privilège de l'homme. Dans toute notre Italie, on n'écrit que ce qu'on ne pense pas ; ceux qui habitent la patrie des Césars et des Antonins n'osent avoir une idée sans la permission d'un jacobin[1]. Je serais content de la liberté qui inspire les génies anglais si la passion et l'esprit de parti ne corrompaient pas tout ce que cette précieuse liberté a d'estimable. »

Candide, apercevant un Milton[2], lui demanda s'il ne regardait pas cet auteur comme un grand homme. « Qui ? dit Pococuranté, ce barbare qui fait un long commentaire du premier chapitre de la Genèse en dix livres de vers durs ? ce grossier imitateur des Grecs, qui défigure la création, et qui, tandis que Moïse représente l'Être éternel produisant le monde par la parole, fait prendre un grand compas par le Messiah dans une armoire du ciel pour tracer son ouvrage ? Moi, j'estimerais celui qui a gâté l'enfer et le diable du Tasse ; qui déguise Lucifer tantôt en crapaud, tantôt en pygmée ; qui lui fait rebattre cent fois les mêmes discours ; qui le fait disputer sur la théologie ; qui, en imitant sérieusement l'invention comique des armes à feu de l'Arioste, fait tirer le canon dans le ciel par les diables ? Ni moi, ni personne en Ita-

1. Jacobin : religieux dominicains dont le couvent se trouvait rue Saint-Jacques (Jacob) à Paris et qui participaient à l'Inquisition.
2. Milton : poète anglais (1608-1674).

lie, n'a pu se plaire à toutes ces tristes extravagances. Le mariage du péché et de la mort et les couleuvres dont le péché accouche font vomir tout homme qui a le goût un peu délicat, et sa longue description d'un hôpital n'est bonne que pour un fossoyeur. Ce poème obscur, bizarre et dégoûtant, fut méprisé à sa naissance; je le traite aujourd'hui comme il fut traité dans sa patrie par les contemporains. Au reste, je dis ce que je pense, et je me soucie fort peu que les autres pensent comme moi.» Candide était affligé de ces discours; il respectait Homère, il aimait un peu Milton. «Hélas! dit-il tout bas à Martin, j'ai bien peur que cet homme-ci n'ait un souverain mépris pour nos poètes allemands. – Il n'y aurait pas grand mal à cela, dit Martin. – Oh, quel homme supérieur! disait encore Candide entre ses dents, quel grand génie que ce Pococuranté! rien ne peut lui plaire.»

Après avoir fait ainsi la revue de tous les livres, ils descendirent dans le jardin. Candide en loua toutes les beautés. «Je ne sais rien de si mauvais goût, dit le maître: nous n'avons ici que des colifichets; mais je vais dès demain en faire planter un d'un dessin plus noble.»

Quand les deux curieux eurent pris congé de Son Excellence: «Or çà, dit Candide à Martin, vous conviendrez que voilà le plus heureux de tous les hommes, car il est au-dessus de tout ce qu'il possède. – Ne voyez-vous pas, dit Martin, qu'il est dégoûté de tout ce qu'il possède? Platon a dit, il y a longtemps, que les meilleurs estomacs ne sont pas ceux qui rebutent tous les aliments. – Mais, dit Candide, n'y a-t-il pas du plaisir à tout critiquer, à sentir des défauts où les autres hommes croient voir des beautés? – C'est-à-dire, reprit Martin, qu'il y a du plaisir à n'avoir pas de plaisir? – Oh bien! dit Candide, il n'y a donc d'heureux que moi,

quand je reverrai Mlle Cunégonde. – C'est toujours bien fait d'espérer », dit Martin.

Cependant les jours, les semaines s'écoulaient ; Cacambo ne revenait point, et Candide était si abîmé dans sa douleur qu'il ne fit pas même réflexion que Paquette et frère Giroflée n'étaient pas venus seulement le remercier.

D'un souper que Candide
et Martin firent avec six étrangers,
et qui ils étaient

Un soir que Candide, suivi de Martin, allait se mettre à table avec les étrangers qui logeaient dans la même hôtellerie, un homme à visage couleur de suie l'aborda par-derrière, et, le prenant par le bras, lui dit : « Soyez prêt à partir avec nous, n'y manquez pas. » Il se retourne, et voit Cacambo. Il n'y avait que la vue de Cunégonde qui pût l'étonner et lui plaire davantage. Il fut sur le point de devenir fou de joie. Il embrasse son cher ami. « Cunégonde est ici, sans doute, où est-elle ? Mène-moi vers elle, que je meure de joie avec elle. – Cunégonde n'est point ici, dit Cacambo, elle est à Constantinople. – Ah, Ciel ! à Constantinople ! mais, fût-elle à la Chine, j'y vole, partons. – Nous partirons après souper, reprit Cacambo, je ne peux vous en dire davantage ; je suis esclave, mon maître m'attend ; il faut que j'aille le servir à table : ne dites mot ; soupez et tenez-vous prêt. »

Candide, partagé entre la joie et la douleur, charmé d'avoir revu son agent fidèle, étonné de le voir esclave, plein de l'idée de retrouver sa maîtresse, le cœur agité, l'esprit bouleversé, se mit à table avec Martin, qui voyait de

sang-froid toutes ces aventures, et avec six étrangers qui étaient venus passer le carnaval à Venise.

Cacambo, qui versait à boire à l'un de ces six étrangers, s'approcha de l'oreille de son maître, sur la fin du repas, et lui dit : «Sire, Votre Majesté partira quand elle voudra, le vaisseau est prêt.» Ayant dit ces mots, il sortit. Les convives, étonnés, se regardaient sans proférer une seule parole, lorsqu'un autre domestique, s'approchant de son maître, lui dit : «Sire, la chaise de Votre Majesté est à Padoue, et la barque est prête.» Le maître fit un signe, et le domestique partit. Tous les convives se regardèrent encore, et la surprise commune redoubla. Un troisième valet, s'approchant aussi d'un troisième étranger, lui dit : «Sire, croyez-moi, Votre Majesté ne doit pas rester ici plus longtemps : je vais tout préparer»; et aussitôt il disparut.

Candide et Martin ne doutèrent pas alors que ce ne fût une mascarade du carnaval. Un quatrième domestique dit au quatrième maître : «Votre Majesté partira quand elle voudra», et sortit comme les autres. Le cinquième valet en dit autant au cinquième maître. Mais le sixième valet parla différemment au sixième étranger, qui était auprès de Candide; il lui dit : «Ma foi, Sire, on ne veut plus faire crédit à Votre Majesté, ni à moi non plus; et nous pourrions bien être coffrés cette nuit, vous et moi : je vais pourvoir à mes affaires; adieu.»

Tous les domestiques ayant disparu, les six étrangers, Candide et Martin demeurèrent dans un profond silence. Enfin Candide le rompit. «Messieurs, dit-il, voilà une singulière plaisanterie : pourquoi êtes-vous tous rois? Pour moi, je vous avoue que ni moi ni Martin nous ne le sommes.»

Le maître de Cacambo prit alors gravement la parole, et

dit en italien : « Je ne suis point plaisant, je m'appelle Achmet III. J'ai été grand sultan plusieurs années ; je détrônai mon frère ; mon neveu m'a détrôné ; on a coupé le cou à mes vizirs ; j'achève ma vie dans le vieux sérail ; mon neveu le grand sultan Mahmoud me permet de voyager quelquefois pour ma santé, et je suis venu passer le carnaval à Venise. »

Un jeune homme qui était auprès d'Achmet parla après lui, et dit : « Je m'appelle Ivan ; j'ai été empereur de toutes les Russies ; j'ai été détrôné au berceau ; mon père et ma mère ont été enfermés ; on m'a élevé en prison ; j'ai quelquefois la permission de voyager, accompagné de ceux qui me gardent, et je suis venu passer le carnaval à Venise. »

Le troisième dit : « Je suis Charles-Édouard, roi d'Angleterre ; mon père m'a cédé ses droits au royaume ; j'ai combattu pour les soutenir ; on a arraché le cœur à huit cents de mes partisans, et on leur en a battu les joues. J'ai été mis en prison ; je vais à Rome faire une visite au roi mon père, détrôné ainsi que moi et mon grand-père, et je suis venu passer le carnaval à Venise. »

Le quatrième prit alors la parole et dit : « Je suis roi des Polaques ; le sort de la guerre m'a privé de mes États héréditaires ; mon père a éprouvé les mêmes revers ; je me résigne à la Providence comme le sultan Achmet, l'empereur Ivan et le roi Charles-Édouard, à qui Dieu donne une longue vie, et je suis venu passer le carnaval à Venise. »

Le cinquième dit : « Je suis aussi roi des Polaques ; j'ai perdu mon royaume deux fois ; mais la Providence m'a donné un autre État, dans lequel j'ai fait plus de bien que tous les rois des Sarmates ensemble n'en ont jamais pu faire sur les bords de la Vistule ; je me résigne aussi à la Providence, et je suis venu passer le carnaval à Venise. »

Il restait au sixième monarque à parler. « Messieurs,

dit-il, je ne suis pas si grand seigneur que vous ; mais enfin j'ai été roi tout comme un autre. Je suis Théodore ; on m'a élu roi en Corse ; on m'a appelé *Votre Majesté,* et à présent, à peine m'appelle-t-on *Monsieur.* J'ai fait frapper de la monnaie, et je ne possède pas un denier ; j'ai eu deux secrétaires d'État, et j'ai à peine un valet ; je me suis vu sur un trône, et j'ai longtemps été à Londres en prison, sur la paille. J'ai bien peur d'être traité de même ici, quoique je sois venu comme Vos Majestés passer le carnaval à Venise. »

Les cinq autres rois écoutèrent ce discours avec une noble compassion. Chacun d'eux donna vingt sequins au roi Théodore pour avoir des habits et des chemises, et Candide lui fit présent d'un diamant de deux mille sequins. « Quel est donc, disaient les cinq rois, ce simple particulier qui est en état de donner cent fois autant que chacun de nous, et qui le donne ? »

Dans l'instant qu'on sortait de table, il arriva dans la même hôtellerie quatre altesses sérénissimes qui avaient aussi perdu leurs États par le sort de la guerre, et qui venaient passer le reste du carnaval à Venise. Mais Candide ne prit pas seulement garde à ces nouveaux venus. Il n'était occupé que d'aller trouver sa chère Cunégonde à Constantinople.

Arrêt sur lecture 3

Sans baisse de rythme, le voyage initiatique qui doit permettre l'éducation sentimentale et intellectuelle de Candide se poursuit. Voltaire transporte son personnage dans de nouveaux lieux, plus éloignés, insère dans sa narration des aventures inédites, oriente l'intrigue vers un objectif à découvrir, introduit de nouveaux personnages, fait alterner les moments d'action, les récits à valeur de pause, les réflexions morales ou philosophiques. Dans ce parcours de découvertes et d'épreuves, trois étapes méritent le commentaire : le Nouveau Monde et ses promesses, le pays rêvé d'Eldorado, l'Europe et la comédie du bonheur.

Chez les Indiens du Nouveau Monde

Pour fuir l'Europe et ses malheurs, Candide, Cunégonde et la vieille mettent le cap vers l'ouest, lieu de tous les espoirs avant d'être celui des désillusions. Ce passage en Amérique du Sud, loin de confirmer les promesses optimistes de Pangloss, offre au héros de nouvelles preuves du mal.

Les promesses de l'ailleurs

Le siècle des Lumières* passe pour être celui des voyages. Le monde s'agrandit, les explorateurs rapportent des récits dont l'exotisme nourrit l'imagination des Européens et féconde la littérature. Voltaire récupère cette vogue dans ses contes orientaux, dont *Zadig* (1746) est le meilleur exemple. Avant *L'Ingénu* (1767) qui contera l'histoire d'un Huron, *Candide* exploite, à des fins parodiques, le thème du rêve de l'ailleurs. Les épisodes de Buenos Aires, du Paraguay, des Oreillons doivent apporter au lecteur le charme du dépaysement, la saveur du libertinage et le support d'une réflexion sur la relativité des mœurs. Mais la vision voltairienne de l'Amérique est sans complaisance : la cruauté humaine est universelle et l'« état de nature » des primitifs n'est qu'une inquiétante régression.

Un sauvage pas si bon qu'on le dit

L'humeur désabusée du philosophe, cachée comme toujours sous le masque de l'ironie*, s'exprime dans l'amusant chapitre 16. Candide, « étonné de tout », découvre une bizarrerie des mœurs primitives que Cacambo accepte sereinement :

> Pourquoi trouvez-vous si étrange que dans quelques pays il y ait des singes qui obtiennent les bonnes grâces des dames ? Ils sont des quarts d'hommes, comme je suis un quart d'Espagnol.

Un discours optimiste, largement développé par Rousseau en particulier, avait répandu en Europe l'image d'un sauvage doux, aimable, vertueux. À cette théorie contestable qui plaçait l'état de nature au-dessus de l'état de civilisation, Voltaire oppose les comportements barbares de ses Oreillons : les amours monstrueuses et l'anthropophagie. Les cannibales, de plus, passent pour avoir le goût délicat, comme en témoigne leur chant qui scandalisa et amusa l'Europe :

> C'est un jésuite, c'est un jésuite ! nous serons vengés, et nous ferons bonne chère ; mangeons du jésuite, mangeons du jésuite.

« C'est
à ce prix
que vous
mangez
du sucre
en Europe. »

Des missionnaires inquiétants

Les Européens chargés d'évangéliser et de civiliser les sauvages
d'Amérique apportent avec eux une autre forme de barbarie,
comme le montre la description de l'expérience du Paraguay (cha-
pitre 14). Le gouvernement établi par les prêtres se résume à une
formule : « Les Padres y ont tout et le peuple rien », assortie d'un

commentaire ironique : « C'est le chef-d'œuvre de la raison et de la justice. » Ces « réductions », ainsi qu'on appelait ces colonies, passionnent l'Europe et intéressent Voltaire qui se documente à leur sujet pour son *Essai sur les mœurs*. La condamnation est ici sans appel : les Jésuites ont oublié leur rôle pacifique au profit d'une activité militaire ; ils ont transformé leur mission civilisatrice en enrichissement personnel.

La cruauté de l'esclavage

La dernière halte sur le continent américain permet à Candide une rencontre qui l'éclaire sur une nouvelle forme de « la méchanceté des hommes » : l'esclavage. Le nègre de Surinam qui apparaît au chapitre 19 illustre ce fléau de la colonisation soucieuse de réduire les coûts de production au mépris du respect de la vie humaine. L'esclave nègre est exploité, mutilé au nom d'intérêts supérieurs : « C'est à ce prix que vous mangez du sucre en Europe. » L'indignation de Voltaire, toujours cachée sous l'ironie*, rejoint celle d'autres philosophes de son temps engagés dans le combat en faveur du droit naturel, comme Montesquieu. Ce scandale de la folie humaine a le mérite d'ébranler les certitudes de Candide :

> Ô Pangloss ! [...], tu n'avais pas deviné cette abomination ; c'en est fait, il faudra qu'à la fin je renonce à ton optimisme.

À la recherche du pays idéal

Notre héros, élevé dans la philosophie optimiste de Pangloss, se devait, dans sa quête du « meilleur des mondes », d'aboutir dans un de ces lieux imaginaires auxquels les hommes ont confié leurs rêves de bonheur idéal et que l'on nomme utopie*. C'est chose faite aux chapitres 17 et 18 consacrés à l'Eldorado.

Un épisode central

Rappelons-nous l'itinéraire de Candide : il quitte par obligation un château jugé paradisiaque et tente, dans sa fuite, de retrouver un lieu de perfection à l'abri de l'inégalité sociale. Eldorado, situé à peu près au milieu du conte, à l'extrémité du voyage à l'ouest, pourrait constituer un aboutissement. Mais si l'épisode marque bien un terme, c'est celui des illusions. Guéri du paradis dérisoire de Westphalie, Candide, en attendant d'atteindre la sagesse, fait l'expérience d'un autre paradis plus authentique mais totalement irréel et inaccessible. Le bonheur idéal n'est pas de ce monde, il appartient aux constructions de l'imaginaire. Toute utopie* est un beau mensonge où la vraie vie n'a pas de place. La perfection n'existe pas davantage. Sur le chemin de la raison, Candide sait qu'il ne peut rester dans cet univers artificiellement protégé :

> Si nous restons ici, nous n'y serons que comme les autres ; au lieu que si nous retournons dans notre monde seulement avec douze moutons chargés de cailloux d'Eldorado, nous serons plus riches que tous les rois ensemble (chapitre 18).

Le bonheur personnel avec Cunégonde demande à être construit, non reçu passivement.

Trop beau pour être vrai

Les pays imaginaires connaissent une grande vogue au XVIII^e siècle. Voltaire reprend la tradition pour peindre avec humour un « lieu de nulle part » qui doit s'opposer point par point à la vie réelle. L'Eldorado, dont le nom (« le doré ») renvoie au mythe des chercheurs d'or, méprise les marques de richesse, refuse le protocole politique, ignore la prison, pratique une religion modérée, libérée du formalisme et de la hiérarchie. On y cultive surtout le plaisir, « partout l'utile était agréable ». Les décors sont raffinés, la nourriture abondante, les relations humaines amicales, la paix et la concorde assurent une vie harmonieuse : « Nous sommes tous du même avis. » On

aime rire, on reconnaît modestement ses ignorances, on respecte la volonté de chacun.

Un merveilleux de fantaisie

Les exagérations et les invraisemblances de cette description, nous inclinent à penser que Voltaire ne prend pas au sérieux son utopie*. Le vieillard est âgé de cent soixante-douze ans, les chemins sont constitués d'or, d'émeraudes et de rubis, les hommes et les femmes sont uniformément beaux, les maisons sont fastueuses, le palais du roi démesuré. Par l'emploi de formules hyperboliques, Voltaire s'amuse à imiter l'émerveillement naïf des récits de voyage, à parodier les descriptions élogieuses rapportées par les conquistadores espagnols ou portugais. Cet idéal digne du pays de Cocagne est présenté avec trop de fantaisie pour être un modèle : il n'est qu'une autre forme, tout aussi suspecte que les théories de Pangloss, de l'illusion optimiste.

Retour au pays

Sur la voie de la sagesse

L'absence de Cunégonde pousse Candide à quitter l'Eldorado pour reprendre sa quête. Mais le héros est changé par son passage en utopie. Il sait que peut exister un pays idéal, mais il sait aussi qu'il n'a aucune envie d'y vivre, si ce n'est avec ceux qu'il aime et dans des conditions choisies par lui. Plus lucide, moins « candide », le Westphalien est en mesure de rentrer en Europe, d'affronter les nouvelles brutalités de la vie des hommes, de quitter son optimisme pour un début de sagesse [chapitre 19] :

> La méchanceté des hommes se présentait à son esprit dans toute sa laideur ; il ne se nourrissait que d'idées tristes.

L'arrivée du pessimiste Martin, sorte d'anti-Pangloss, favorise l'évolution du voyageur.

À la découverte des hommes

Le départ d'Eldorado relance le conte. Les voyageurs, en reprenant la mer, abandonnent leur rêve d'ailleurs et reviennent à la sombre réalité. La rencontre du nègre de Surinam au chapitre 19, le combat naval et le naufrage au chapitre 20, l'exécution de l'amiral anglais au chapitre 23, les mésaventures de Paquette au chapitre 24, ces événements confirment les théories de Martin :

> Mais à quelle fin ce monde a-t-il donc été formé ? dit Candide.
> – Pour nous faire enrager, répondit Martin.

Mais c'est dans le cœur des hommes que se situe désormais la source du mal. Deux étapes vont l'illustrer : le passage par Paris (chapitre 22) qui permet la peinture satirique* d'une société corrompue et mesquine ; le détour par Venise, prétexte à réfléchir sur les méfaits de l'inaction et de la richesse inutile. Le seigneur Pococuranté, comblé par la vie, n'apprécie plus rien de ses cadeaux (chapitre 25) ; les rois détrônés avec lesquels Candide soupe au chapitre 26, privés de royaume, réduits à rien témoignent de la vanité des fausses grandeurs. La leçon porte, puisque notre héros, se détournant de la gloire, revient au chapitre 26 à des objectifs modestes :

> Il n'était occupé que d'aller trouver sa chère Cunégonde à Constantinople.

La vraie question n'est plus de savoir si le mal existe, si les hommes sont bons ou mauvais : elle est plutôt de s'interroger sur la conquête et la nature du bonheur.

Pour une lecture

L'épisode concernant le nègre de Surinam au début du chapitre 19 mérite l'attention d'une lecture méthodique. Nous faisons commencer l'extrait à « En approchant de la ville… » et l'arrêtons à « … il entra dans Surinam ».

Introduction

Peu après leur départ du pays idéal d'Eldorado, Candide et son domestique Cacambo approchent de la Guyane hollandaise où ils font une rencontre qui les replace devant la réalité du mal. Ce passage, qui joue sur une triple énonciation, celle du narrateur, celle de l'esclave noir et celle de Candide, doit provoquer chez le lecteur une indignation critique à l'égard de l'esclavage.

Développement : les axes de lecture

1. La méchanceté des hommes

L'horreur de l'esclavage est montrée de manière brutale et objective à travers une description concise, un rappel de la situation de soumission résignée chez l'esclave, de cruauté incontestée chez le maître. La justification de ce fléau a quelque chose de choquant, puisqu'elle se ramène à une simple nécessité économique. Le scandale est révélé par la disproportion entre l'effet et la cause.

2. L'ironie de la narration

La présence ironique de Voltaire est perceptible dans le jeu de l'énonciation : passage du récit impersonnel au discours à la première personne de l'esclave puis à la réaction affective de Candide. L'esclave se lance dans une analyse parfaitement lucide de sa position en opposant une logique économique à une logique humanitaire. Il perçoit également l'hypocrisie du discours religieux et s'ex-

Une plantation aux Antilles au XVIIIᵉ siècle. Une représentation – idéalisée – de l'esclavage.

prime avec une fausse naïveté. Manifestement c'est Voltaire qui parle par sa bouche.

3. L'efficacité du conte philosophique

Le conte parvient à créer l'indignation par une simplicité froide du ton qui préfère montrer la réalité atroce plutôt qu'avancer des arguments théoriques. L'optimisme, sujet de l'ouvrage, est une fois de plus contesté par les faits, au point que Candide se dispose à renier la philosophie de son maître. Ainsi le passage remplit un rôle dans le projet initiatique, nous montrant un héros progressant sur la voie de l'émancipation intellectuelle. C'est Candide lui-même qui prend l'initiative d'interroger l'esclave, c'est encore lui qui tire les conclusions. L'élève de Pangloss est capable, pour la première fois, de compatir à la souffrance humaine et de tirer les leçons de ce qu'il voit.

Conclusion

Sur un thème douloureux et d'actualité, Voltaire, renonçant aux armes de la rhétorique ou du pathos*, parvient par cette courte scène, à nous faire partager son indignation. L'épisode est écrit dans une langue dépouillée, mélangeant habilement la confession de la victime, la brutale narration des faits et l'émotion du témoin. Le combat philosophique se coule dans la fantaisie de la fiction sans rien perdre de sa force.

à vous...

1 – Trois nouveaux personnages viennent croiser la route de Candide : Cacambo, Martin, Paquette. Pour chacun d'eux tentez un portrait construit à partir de la grille suivante : 1. Nationalité ; 2. Âge ; 3. Métier ou fonction ; 4. Aspect physique ; 5. Qualités ; 6.

Défauts ; 7. Opinions ; 8. Signes particuliers ; 9. Une phrase caractéristique.

2 – Lisez d'autres œuvres !
– Cherchez, dans d'autres contes de Voltaire, des ressemblances avec le passage : notamment dans *Le Monde comme il va*, *Memnon ou la sagesse*, *La Princesse de Babylone*.
– D'autres œuvres du temps donnent l'image satirique de la vie parisienne ; confrontez le chapitre 22 avec la « scène des portraits » dans *Le Misanthrope* de Molière (II, 4) ou avec la lettre XLVIII des *Lettres persanes* de Montesquieu.

3 – Pensez Paris comme un anti-Eldorado !
Dans un tableau à deux colonnes, faites ressortir les oppositions entre les deux lieux.

4 – Écrivez une utopie* !
En une trentaine de lignes, amorcez la description de votre pays idéal.

Voyage de Candide à Constantinople

Le fidèle Cacambo avait déjà obtenu du patron turc qui allait reconduire le sultan Achmet à Constantinople qu'il recevrait Candide et Martin sur son bord. L'un et l'autre s'y rendirent après s'être prosternés devant Sa misérable Hautesse. Candide, chemin faisant, disait à Martin : « Voilà pourtant six rois détrônés, avec qui nous avons soupé, et encore dans ces six rois il y en a un à qui j'ai fait l'aumône. Peut-être y a-t-il beaucoup d'autres princes plus infortunés. Pour moi, je n'ai perdu que cent moutons, et je vole dans les bras de Cunégonde. Mon cher Martin, encore une fois, Pangloss avait raison : tout est bien. – Je le souhaite, dit Martin. – Mais, dit Candide, voilà une aventure bien peu vraisemblable que nous avons eue à Venise. On n'avait jamais vu ni ouï conter que six rois détrônés soupassent ensemble au cabaret. – Cela n'est pas plus extraordinaire, dit Martin, que la plupart des choses qui nous sont arrivées. Il est très commun que des rois soient détrônés ; et à l'égard de l'honneur que nous avons eu de souper avec eux, c'est une bagatelle qui ne mérite pas notre attention. »

À peine Candide fut-il dans le vaisseau qu'il sauta au cou de son ancien valet, de son ami Cacambo. « Eh bien ! lui

dit-il, que fait Cunégonde ? Est-elle toujours un prodige de beauté ? M'aime-t-elle toujours ? Comment se porte-t-elle ? Tu lui as sans doute acheté un palais à Constantinople ?

– Mon cher maître, répondit Cacambo, Cunégonde lave les écuelles sur le bord de la Propontide, chez un prince qui a très peu d'écuelles ; elle est esclave dans la maison d'un ancien souverain nommé Ragotski, à qui le Grand Turc donne trois écus par jour dans son asile ; mais ce qui est bien plus triste, c'est qu'elle a perdu sa beauté et qu'elle est devenue horriblement laide. – Ah ! belle ou laide, dit Candide, je suis honnête homme, et mon devoir est de l'aimer toujours. Mais comment peut-elle être réduite à un état si abject avec les cinq ou six millions que tu avais apportés ? – Bon, dit Cacambo, ne m'en a-t-il pas fallu donner deux millions au señor don Fernando d'Ibaraa, y Figueora, y Mascarenes, y Lampourdos, y Souza, gouverneur de Buenos-Ayres, pour avoir la permission de reprendre mademoiselle Cunégonde ? Et un pirate ne nous a-t-il pas bravement dépouillés de tout le reste ? Ce pirate ne nous a-t-il pas menés au cap de Matapan, à Milo, à Nicarie, à Samos, à Petra, aux Dardanelles, à Marmora, à Scutari ? Cunégonde et la vieille servent chez ce prince dont je vous ai parlé, et moi je suis esclave du sultan détrôné. – Que d'épouvantables calamités enchaînées les unes aux autres ! dit Candide. Mais, après tout, j'ai encore quelques diamants ; je délivrerai aisément Cunégonde. C'est bien dommage qu'elle soit devenue si laide. »

Ensuite, se tournant vers Martin : « Qui pensez-vous, dit-il, qui soit le plus à plaindre, de l'empereur Achmet, de l'empereur Ivan, du roi Charles-Édouard, ou de moi ? – Je n'en sais rien, dit Martin ; il faudrait que je fusse dans vos cœurs pour le savoir. – Ah ! dit Candide, si Pangloss était ici,

il le saurait et nous l'apprendrait. – Je ne sais, dit Martin, avec quelles balances votre Pangloss aurait pu peser les infortunes des hommes et apprécier leurs douleurs. Tout ce que je présume, c'est qu'il y a des millions d'hommes sur la terre cent fois plus à plaindre que le roi Charles-Édouard, l'empereur Ivan et le sultan Achmet. – Cela pourrait bien être », dit Candide.

On arriva en peu de jours sur le canal de la mer Noire. Candide commença par racheter Cacambo fort cher, et, sans perdre de temps, il se jeta dans une galère, avec ses compagnons, pour aller sur le rivage de la Propontide chercher Cunégonde, quelque laide qu'elle pût être.

Il y avait dans la chiourme[1] deux forçats qui ramaient fort mal, et à qui le levanti[2] patron appliquait de temps en temps quelques coups de nerf de bœuf sur leurs épaules nues ; Candide, par un mouvement naturel, les regarda plus attentivement que les autres galériens et s'approcha d'eux avec pitié. Quelques traits de leurs visages défigurés lui parurent avoir un peu de ressemblance avec Pangloss et avec ce malheureux jésuite, ce baron, ce frère de Mlle Cunégonde. Cette idée l'émut et l'attrista. Il les considéra encore plus attentivement « En vérité, dit-il à Cacambo, si je n'avais pas vu pendre maître Pangloss, et si je n'avais pas eu le malheur de tuer le baron, je croirais que ce sont eux qui rament dans cette galère. »

Au nom du baron et de Pangloss les deux forçats poussèrent un grand cri, s'arrêtèrent sur leur banc et laissèrent tomber leurs rames. Le levanti patron accourait sur eux, et les coups de nerf de bœuf redoublaient. « Arrêtez, arrêtez, Seigneur, s'écria Candide, je vous donnerai tant d'argent

1. Chiourme : l'ensemble des galériens.
2. Levanti : originaire du Levant, c'est-à-dire du Proche-Orient.

que vous voudrez. – Quoi! c'est Candide! disait l'un des forçats. – Quoi! c'est Candide! disait l'autre. – Est-ce un songe? dit Candide; veillé-je? suis-je dans cette galère? Est-ce là monsieur le baron que j'ai tué? Est-ce là maître Pangloss que j'ai vu pendre?

– C'est nous-mêmes, c'est nous-mêmes, répondaient-ils. – Quoi! c'est là ce grand philosophe? disait Martin.

– Eh! Monsieur le levanti patron, dit Candide, combien voulez-vous d'argent pour la rançon de M. de Thunder-ten-tronckh, un des premiers barons de l'Empire, et de M. Pangloss, le plus profond métaphysicien d'Allemagne? – Chien de chrétien, répondit le levanti patron, puisque ces deux chiens de forçats chrétiens sont des barons et des métaphysiciens, ce qui est sans doute une grande dignité dans leurs pays, tu m'en donneras cinquante mille sequins. – Vous les aurez, monsieur, ramenez-moi comme un éclair à Constantinople, et vous serez payé sur-le-champ. Mais non, menez-moi chez Mlle Cunégonde.» Le levanti patron, sur la première offre de Candide, avait déjà tourné la proue vers la ville, et il faisait ramer plus vite qu'un oiseau ne fend les airs.

Candide embrassa cent fois le baron et Pangloss. «Et comment ne vous ai-je pas tué, mon cher baron? et mon cher Pangloss, comment êtes-vous en vie après avoir été pendu? et pourquoi êtes-vous tous deux aux galères en Turquie? – Est-il bien vrai que ma chère sœur soit dans ce pays? disait le baron. – Oui, répondait Cacambo. – Je revois donc mon cher Candide», s'écriait Pangloss. Candide leur présentait Martin et Cacambo. Ils s'embrassaient tous, ils parlaient tous à la fois. La galère volait, ils étaient déjà dans le port. On fit venir un Juif, à qui Candide vendit pour cinquante mille sequins un diamant de la valeur de cent mille,

et qui lui jura par Abraham qu'il n'en pouvait donner davantage. Il paya incontinent la rançon du baron et de Pangloss. Celui-ci se jeta aux pieds de son libérateur et les baigna de larmes ; l'autre le remercia par un signe de tête, et lui promit de lui rendre cet argent à la première occasion. « Mais est-il bien possible que ma sœur soit en Turquie ? disait-il. – Rien n'est si possible, reprit Cacambo, puisqu'elle écure la vaisselle chez un prince de Transylvanie. » On fit aussitôt venir deux Juifs ; Candide vendit encore des diamants ; et ils repartirent tous dans une autre galère pour aller délivrer Cunégonde.

Ce qui arriva à Candide, à Cunégonde, à Pangloss, à Martin, etc.

« **P**ardon, encore une fois, dit Candide au baron ; pardon, mon Révérend Père, de vous avoir donné un grand coup d'épée au travers du corps. – N'en parlons plus, dit le baron ; je fus un peu trop vif, je l'avoue ; mais, puisque vous voulez savoir par quel hasard vous m'avez vu aux galères, je vous dirai qu'après avoir été guéri de ma blessure par le frère apothicaire du collège, je fus attaqué et enlevé par un parti espagnol ; on me mit en prison à Buenos-Ayres dans le temps que ma sœur venait d'en partir. Je demandai à retourner à Rome auprès du père général. Je fus nommé pour aller servir d'aumônier à Constantinople auprès de M. l'ambassadeur de France. Il n'y avait pas huit jours que j'étais entré en fonctions, quand je trouvai sur le soir un jeune icoglan[1] très bien fait. Il faisait fort chaud : le jeune homme voulut se baigner ; je pris cette occasion de me baigner aussi. Je ne savais pas ce fût un crime capital pour un chrétien d'être trouvé tout nu avec un jeune musulman. Un cadi[2] me fit donner cent coups de bâton sous la plante des pieds et me condamna aux galères. Je ne crois pas qu'on ait fait une plus

1. Icoglan : jeune homme faisant le service dans un sérail.
2. Cadi : juge musulman.

horrible injustice. Mais je voudrais bien savoir pourquoi ma sœur est dans la cuisine d'un souverain de Transylvanie réfugié chez les Turcs.

— Mais vous, mon cher Pangloss, dit Candide, comment se peut-il que je vous revoie ? – Il est vrai, dit Pangloss, que vous m'avez vu pendre ; je devais naturellement être brûlé ; mais vous vous souvenez qu'il plut à verse lorsqu'on allait me cuire : l'orage fut si violent qu'on désespéra d'allumer le feu, je fus pendu, parce qu'on ne put mieux faire : un chirurgien acheta mon corps, m'emporta chez lui, et me disséqua. Il me fit d'abord une incision cruciale depuis le nombril jusqu'à la clavicule. On ne pouvait pas avoir été plus mal pendu que je l'avais été. L'exécuteur des hautes œuvres de la sainte Inquisition, lequel était sous-diacre, brûlait à la vérité les gens à merveille, mais il n'était pas accoutumé à pendre : la corde était mouillée et glissa mal, elle fut nouée ; enfin je respirais encore : l'incision cruciale[1] me fit jeter un si grand cri que mon chirurgien tomba à la renverse, et, croyant qu'il disséquait le diable, il s'enfuit en mourant de peur, et tomba encore sur l'escalier en fuyant. Sa femme accourut au bruit, d'un cabinet voisin ; elle me vit sur la table étendu avec mon incision cruciale : elle eut encore plus de peur que son mari, s'enfuit et tomba sur lui. Quand ils furent un peu revenus à eux, j'entendis la chirurgienne qui disait au chirurgien : "Mon bon, de quoi vous avisez-vous aussi de disséquer un hérétique ? Ne savez-vous pas que le diable est toujours dans le corps de ces gens-là ? Je vais vite chercher un prêtre pour l'exorciser." Je frémis à ce propos, et je ramassai le peu de forces qui me restaient, pour crier : "Ayez pitié de moi !" Enfin le barbier[2] portugais

1. Cruciale : en forme de croix.
2. Barbier : les barbiers étaient souvent en même temps chirurgiens.

s'enhardit ; il recousit ma peau ; sa femme même eut soin de moi ; je fus sur pied au bout de quinze jours. Le barbier me trouva une condition, et me fit laquais d'un chevalier de Malte qui allait à Venise ; mais mon maître n'ayant pas de quoi me payer, je me mis au service d'un marchand véni-tien, et je le suivis à Constantinople.

« Un jour il me prit fantaisie d'entrer dans une mosquée ; il n'y avait qu'un vieil iman[1] et une jeune dévote très jolie qui disait ses patenôtres ; sa gorge était toute découverte : elle avait entre ses deux tétons un beau bouquet de tulipes, de roses, d'anémones, de renoncules, d'hyacinthes et d'oreilles-d'ours ; elle laissa tomber son bouquet ; je le ramassai, et je le lui remis avec un empressement très res-pectueux. Je fus si longtemps à le lui remettre que l'iman se mit en colère, et voyant que j'étais chrétien, il cria à l'aide. On me mena chez le cadi, qui me fit donner cent coups de lattes sur la plante des pieds et m'envoya aux galères. Je fus enchaîné précisément dans la même galère et au même banc que monsieur le baron. Il y avait dans cette galère quatre jeunes gens de Marseille, cinq prêtres napolitains, et deux moines de Corfou, qui nous dirent que de pareilles aven-tures arrivaient tous les jours. Monsieur le baron prétendait qu'il avait essuyé une plus grande injustice que moi ; je pré-tendais, moi, qu'il était beaucoup plus permis de remettre un bouquet sur la gorge d'une femme que d'être tout nu avec un icoglan. Nous disputions sans cesse, et nous rece-vions vingt coups de nerf de bœuf par jour, lorsque l'en-chaînement des événements de cet univers vous a conduit dans notre galère, et que vous nous avez rachetés.

– Eh bien ! mon cher Pangloss, lui dit Candide, quand

1. Iman : chef religieux musulman.

vous avez été pendu, disséqué, roué de coups, et que vous avez ramé aux galères, avez-vous toujours pensé que tout allait le mieux du monde ? – Je suis toujours de mon premier sentiment, répondit Pangloss, car enfin je suis philosophe : il ne me convient pas de me dédire, Leibnitz ne pouvant pas avoir tort, et l'harmonie préétablie étant d'ailleurs la plus belle chose du monde, aussi bien que le plein et la matière subtile[1]. »

1. Le plein et la matière subtile : allusion philosophique à Descartes et à Leibniz, à qui renvoie surtout la théorie de l'harmonie préétablie.

Comment Candide retrouva
Cunégonde et la vieille

Pendant que Candide, le baron, Pangloss, Martin et Cacambo contaient leurs aventures, qu'ils raisonnaient sur les événements contingents ou non contingents[1] de cet univers, qu'ils disputaient sur les effets et les causes, sur le mal moral et sur le mal physique, sur la liberté et la nécessité, sur les consolations que l'on peut éprouver lorsqu'on est aux galères en Turquie, ils abordèrent sur le rivage de la Propontide à la maison du prince de Transylvanie. Les premiers objets qui se présentèrent furent Cunégonde et la vieille, qui étendaient des serviettes sur des ficelles pour les faire sécher.

Le baron pâlit à cette vue. Le tendre amant Candide, en voyant sa belle Cunégonde rembrunie, les yeux éraillés, la gorge sèche, les joues ridées, les bras rouges et écaillés, recula trois pas saisi d'horreur, et avança ensuite par bon procédé. Elle embrassa Candide et son frère ; on embrassa la vieille : Candide les racheta toutes deux.

Il y avait une petite métairie dans le voisinage : la vieille proposa à Candide de s'en accommoder, en attendant que

1. Contingents : soumis au hasard, par opposition à non contingents : nécessaires.

toute la troupe eût une meilleure destinée. Cunégonde ne savait pas qu'elle était enlaidie, personne ne l'en avait averti : elle fit souvenir Candide de ses promesses avec un ton si absolu que le bon Candide n'osa pas la refuser. Il signifia donc au baron qu'il allait se marier avec sa sœur. «Je ne souffrirai jamais, dit le baron, une telle bassesse de sa part et une telle insolence de la vôtre ; cette infamie ne me sera jamais reprochée : les enfants de ma sœur ne pourraient entrer dans les chapitres[1] d'Allemagne. Non, jamais ma sœur n'épousera qu'un baron de l'Empire.» Cunégonde se jeta à ses pieds et les baigna de larmes ; il fut inflexible. «Maître fou, lui dit Candide, je t'ai réchappé des galères, j'ai payé ta rançon, j'ai payé celle de ta sœur ; elle lavait ici des écuelles, elle est laide, j'ai la bonté d'en faire ma femme, et tu prétends encore t'y opposer ! Je te retuerais si j'en croyais ma colère. — Tu peux me tuer encore, dit le baron, mais tu n'épouseras pas ma sœur de mon vivant.»

1. Chapitres : assemblées religieuses.

Conclusion

Candide, dans le fond de son cœur, n'avait aucune envie d'épouser Cunégonde. Mais l'impertinence extrême du baron le déterminait à conclure le mariage, et Cunégonde le pressait si vivement qu'il ne pouvait s'en dédire. Il consulta Pangloss, Martin et le fidèle Cacambo. Pangloss fit un beau mémoire par lequel il prouvait que le baron n'avait nul droit sur sa sœur, et qu'elle pouvait, selon toutes les lois de l'Empire, épouser Candide de la main gauche[1]. Martin conclut à jeter le baron dans la mer. Cacambo décida qu'il fallait le rendre au levanti patron et le remettre aux galères ; après quoi on l'enverrait à Rome au père général par le premier vaisseau. L'avis fut trouvé fort bon ; la vieille l'approuva ; on n'en dit rien à sa sœur ; la chose fut exécutée pour quelque argent, et on eut le plaisir d'attraper un jésuite et de punir l'orgueil d'un baron allemand.

Il était tout naturel d'imaginer qu'après tant de désastres, Candide, marié avec sa maîtresse et vivant avec le philosophe Pangloss, le philosophe Martin, le prudent Cacambo et la vieille, ayant d'ailleurs rapporté tant de diamants de la

1. Épouser de la main gauche : mariage de pure forme qui n'engage ni les titres ni les biens.

patrie des anciens Incas, mènerait la vie du monde la plus agréable ; mais il fut tant friponné par les Juifs qu'il ne lui resta plus rien que sa petite métairie ; sa femme, devenant tous les jours plus laide, devint acariâtre et insupportable ; la vieille était infirme et fut encore de plus mauvaise humeur que Cunégonde. Cacambo, qui travaillait au jardin, et qui allait vendre des légumes à Constantinople, était excédé de travail et maudissait sa destinée. Pangloss était au désespoir de ne pas briller dans quelque université d'Allemagne. Pour Martin, il était fermement persuadé qu'on est également mal partout ; il prenait les choses en patience. Candide, Martin et Pangloss disputaient quelquefois de métaphysique et de morale. On voyait souvent passer sous les fenêtres de la métairie des bateaux chargés d'effendis, de bachas, de cadis[1], qu'on envoyait en exil à Lemnos, à Mitylène, à Erzeroum. On voyait venir d'autres cadis, d'autres bachas, d'autres effendis, qui prenaient la place des expulsés et qui étaient expulsés à leur tour. On voyait des têtes proprement empaillées qu'on allait présenter à la Sublime Porte. Ces spectacles faisaient redoubler les dissertations ; et quand on ne disputait pas, l'ennui était si excessif que la vieille osa un jour leur dire : « Je voudrais savoir lequel est le pire, ou d'être violée cent fois par des pirates nègres, d'avoir une fesse coupée, de passer par les baguettes chez les Bulgares, d'être fouetté et pendu dans un auto-da-fé, d'être disséqué, de ramer en galère, d'éprouver enfin toutes les misères par lesquelles nous avons tous passé, ou bien de rester ici à ne rien faire ? – C'est une grande question », dit Candide.

Ce discours fit naître de nouvelles réflexions, et Martin

1. Effendis, bachas, cadis : dignitaires turcs.

surtout conclut que l'homme était né pour vivre dans les convulsions de l'inquiétude, ou dans la léthargie de l'ennui. Candide n'en convenait pas, mais il n'assurait rien. Pangloss avouait qu'il avait toujours horriblement souffert ; mais ayant soutenu une fois que tout allait à merveille, il le soutenait toujours, et n'en croyait rien.

Une chose acheva de confirmer Martin dans ses détestables principes, de faire hésiter plus que jamais Candide, et d'embarrasser Pangloss. C'est qu'ils virent un jour aborder dans leur métairie Paquette et le frère Giroflée, qui étaient dans la plus extrême misère ; ils avaient bien vite mangé leurs trois mille piastres, s'étaient quittés, s'étaient raccommodés, s'étaient brouillés, avaient été mis en prison, s'étaient enfuis, et enfin frère Giroflée s'était fait turc. Paquette continuait son métier partout, et n'y gagnait plus rien. «Je l'avais bien prévu, dit Martin à Candide, que vos présents seraient bientôt dissipés et ne les rendraient que plus misérables. Vous avez regorgé de millions de piastres, vous et Cacambo, et vous n'êtes pas plus heureux que frère Giroflée et Paquette. – Ah, ah ! dit Pangloss à Paquette, le ciel vous ramène donc ici parmi nous, ma pauvre enfant ! Savez-vous bien que vous m'avez coûté le bout du nez, un œil et une oreille ? Comme vous voilà faite ! Et qu'est-ce que ce monde ! » Cette nouvelle aventure les engagea à philosopher plus que jamais.

Il y avait dans le voisinage un derviche[1] très fameux, qui passait pour le meilleur philosophe de la Turquie ; ils allèrent le consulter ; Pangloss porta la parole, et lui dit : «Maître, nous venons vous prier de nous dire pourquoi un aussi étrange animal que l'homme a été formé.

1. Derviche : sage oriental.

– De quoi te mêles-tu ? dit le derviche, est-ce là ton affaire ? – Mais, mon Révérend Père, dit Candide, il y a horriblement de mal sur la terre. – Qu'importe, dit le derviche, qu'il y ait du mal ou du bien ? Quand Sa Hautesse envoie un vaisseau en Égypte, s'embarrasse-t-elle si les souris qui sont dans le vaisseau sont à leur aise ou non ? – Que faut-il donc faire ? dit Pangloss. – Te taire, dit le derviche. – Je me flattais, dit Pangloss, de raisonner un peu avec vous des effets et des causes, du meilleur des mondes possibles, de l'origine du mal, de la nature de l'âme et de l'harmonie préétablie. » Le derviche, à ces mots, leur ferma la porte au nez.

Pendant cette conversation, la nouvelle s'était répandue qu'on venait d'étrangler à Constantinople deux vizirs du banc et le muphti[1], et qu'on avait empalé plusieurs de leurs amis. Cette catastrophe faisait partout un grand bruit pendant quelques heures. Pangloss, Candide et Martin, en retournant à la petite métairie, rencontrèrent un bon vieillard qui prenait le frais à sa porte sous un berceau d'orangers. Pangloss, qui était aussi curieux que raisonneur, lui demanda comment se nommait le muphti qu'on venait d'étrangler. « Je n'en sais rien, répondit le bonhomme, et je n'ai jamais su le nom d'aucun muphti ni d'aucun vizir. J'ignore absolument l'aventure dont vous me parlez ; je présume qu'en général ceux qui se mêlent des affaires publiques périssent quelquefois misérablement, et qu'ils le méritent ; mais je ne m'informe jamais de ce qu'on fait à Constantinople ; je me contente d'y envoyer vendre les fruits du jardin que je cultive. » Ayant dit ces mots, il fit entrer les étrangers dans sa maison : ses deux filles et ses

1. Vizirs du banc : ministres ; muphti : chef religieux.

deux fils leur présentèrent plusieurs sortes de sorbets qu'ils faisaient eux-mêmes, du kaïmac piqué d'écorces de cédrat confit, des oranges, des citrons, des limons, des ananas, des pistaches, du café de Moka qui n'était point mêlé avec le mauvais café de Batavia et des îles. Après quoi les deux filles de ce bon musulman parfumèrent les barbes de Candide, de Pangloss et de Martin.

« Vous devez avoir, dit Candide au Turc, une vaste et magnifique terre ? – Je n'ai que vingt arpents[1], répondit le Turc ; je les cultive avec mes enfants ; le travail éloigne de nous trois grands maux : l'ennui, le vice, et le besoin. »

Candide, en retournant dans sa métairie, fit de profondes réflexions sur le discours du Turc. Il dit à Pangloss et à Martin : « Ce bon vieillard me paraît s'être fait un sort bien préférable à celui des six rois avec qui nous avons eu l'honneur de souper. – Les grandeurs, dit Pangloss, sont fort dangereuses, selon le rapport de tous les philosophes : car enfin Églon, roi des Moabites, fut assassiné par Aod ; Absalon fut pendu par les cheveux et percé de trois dards ; le roi Nadab, fils de Jéroboam, fut tué par Baaza ; le roi Éla, par Zambri ; Ochosias, par Jéhu ; Athalia, par Joïada ; les rois Joachim, Jéchonias, Sédécias, furent esclaves. Vous savez comment périrent Crésus, Astyage, Darius, Denys de Syracuse, Pyrrhus, Persée, Annibal, Jugurtha, Arioviste, César, Pompée, Néron, Othon, Vitellius, Domitien, Richard II d'Angleterre, Édouard II, Henri VI, Richard III, Marie Stuart, Charles I[er], les trois Henri de France, l'empereur Henri IV[2] ? Vous savez… – Je sais aussi, dit Candide, qu'il faut cultiver notre jardin. – Vous avez raison, dit Pangloss : car, quand

1. Vingt arpents : 7 à 8 hectares.
2. Empereur Henri IV : successivement noms de l'Ancien Testament, de l'Antiquité et de l'Histoire moderne.

l'homme fut mis dans le jardin d'Éden, il y fut mis *ut ope-raretur eum*[1], pour qu'il travaillât, ce qui prouve que l'homme n'est pas né pour le repos. – Travaillons sans raisonner, dit Martin ; c'est le seul moyen de rendre la vie supportable. »

Toute la petite société entra dans ce louable dessein ; chacun se mit à exercer ses talents. La petite terre rapporta beaucoup. Cunégonde était à la vérité bien laide ; mais elle devint une excellente pâtissière ; Paquette broda ; la vieille eut soin du linge. Il n'y eut pas jusqu'à frère Giroflée qui ne rendît service ; il fut un très bon menuisier, et même devint honnête homme ; et Pangloss disait quelquefois à Candide : « Tous les événements sont enchaînés dans le meilleur des mondes possibles ; car enfin, si vous n'aviez pas été chassé d'un beau château à grands coups de pied dans le derrière pour l'amour de Mlle Cunégonde, si vous n'aviez pas été mis à l'Inquisition, si vous n'aviez pas couru l'Amérique à pied, si vous n'aviez pas donné un bon coup d'épée au baron, si vous n'aviez pas perdu tous vos moutons du bon pays d'Eldorado, vous ne mangeriez pas ici des cédrats confits et des pistaches. – Cela est bien dit, répondit Candide, mais il faut cultiver notre jardin. »

1. *Ut operaretur eum* : « pour y travailler », citation de la Genèse.

Arrêt sur lecture 4

Plus encore qu'un roman, un conte concentre son intérêt dans l'**épilogue***, moment où viennent se conclure les intrigues et où doit s'établir un apaisement propice au bonheur des personnages. Le conte philosophique respecte cette règle narrative et y ajoute une donnée supplémentaire : apporter, dans les dernières pages, la réponse aux questions qui ont été soulevées comme, ici, celle du destin de l'homme, de l'optimisme, de l'idéal de vie. La dernière page de Candide notamment, concentré métaphorique de la pensée de Voltaire, se présente, en conformité avec le titre dépouillé du chapitre 30, comme une véritable conclusion. Mais cet adieu au texte est énigmatique ; il réclame notre attention et appelle le commentaire. À vous, au moyen des indications suivantes, de tirer bénéfice de la leçon.

La fin d'une quête

Avant de délivrer son message final, le conteur doit revenir au prétexte de son récit : la conquête de la femme aimée – retardée jus-

qu'ici par les soubresauts de la vie. Les quatre derniers chapitres sont donc ceux des retrouvailles et de l'installation.

Enfin réunis !

« Je vole dans les bras de Cunégonde », déclare Candide au moment d'entreprendre son dernier déplacement (chapitre 27). Mais ces retrouvailles, annoncées depuis longtemps, sont à la fois retardées et contrariées. Retardées parce que, avant l'ultime réunion, le conteur veut nous éclairer sur le sort d'autres person- nages qu'il décide arbitrairement de faire réapparaître. Cacambo d'abord, qui attend son maître sur le bateau pour lui parler de sa promise et de son nouvel état ; puis Pangloss et le jeune baron trans- formés tous deux en galériens. Ces rencontres inattendues permet- tent de replonger le conte dans cette atmosphère de romanesque* que nous avions un peu délaissée. Les « histoires » intercalées, les coïncidences, les rebondissements invraisemblables, les ingrédients pittoresques notamment dans le chapitre 28 relèvent de la parodie* du roman d'aventures.

La victoire de l'amour

Mais les retrouvailles sont également contrariées, puisque Cuné- gonde, la belle dame convoitée, est devenue, au chapitre 29, une souillon lavant les écuelles :

> Le tendre amant Candide, en voyant sa belle Cunégonde rem- brunie, les yeux éraillés, la gorge sèche, les joues ridées, les bras rouges et écaillés, recula trois pas saisi d'horreur…

Cette réunion incertaine des amants n'est donc pas tout à fait fidèle aux clichés des histoires sentimentales. Là encore Voltaire se moque, amorçant une parodie* amusante des épilogues* lar- moyants des romans à la mode. Encore que l'épisode serve le projet philosophique, puisqu'il montre comment la vie et ses malheurs rui-

nent les plus belles illusions de l'imaginaire. En acceptant de recevoir sa maîtresse en dépit de sa laideur, Candide fait un pas de plus vers la sagesse qui consiste à ne pas trop attendre des promesses de l'existence. Son éducation sentimentale s'achève ironiquement par la profanation de l'idéalisme amoureux.

La naissance du personnage

À la différence des autres personnages, notamment Pangloss, le jeune Thunder-ten-thronckh ou Martin, Candide a évolué. Au chapitre 27, la leçon des rois détrônés ne l'a pas corrigé de ses rêves d'optimisme :

> Mon cher Martin, encore une fois, Pangloss avait raison : tout est bien.

À peine retrouve-t-il ses anciens compagnons de Westphalie, qu'il restitue à son ancien maître l'intégralité de son admiration et au baron sa déférence de roturier. Mais très vite le héros va gagner en liberté d'esprit et même d'action au point d'accéder au vrai rang de personnage. Il n'hésite pas à placer Pangloss devant ses contra-dictions (chapitre 28), et surtout il se révolte contre l'entêtement du baron jésuite et, après délibération, décide dans un geste symbo-lique, son élimination. Enfin il accepte de se dépouiller progressive-ment de ces mirages de puissance que sont les diamants rapportés d'Eldorado. Au début du chapitre 30, il semble avoir accompli sa mutation interne : il est actif, responsable, sûr de lui. L'émancipation assurée, il lui reste à trouver le bonheur.

Leçon dans un jardin turc

Constantinople, un lieu symbolique

Le voyage de Candide et de ses compagnons s'arrête à Constanti-

nople. Cette ville de Turquie fondée sur l'ancien reste de Byzance au bord de la Propontide (mer de Marmara), est un lieu central, ni à l'ouest, comme l'était l'utopie américaine, ni à l'est où s'expriment les déchirements européens. L'endroit est comparable à « l'île suisse » où a choisi de se retirer Voltaire, d'abord réfugié aux Délices, près de Genève, où il se présente lui-même comme un « vieux turc », puis à Ferney, où le « patriarche » se fera volontiers jardinier pour aider à la prospérité du village. Le conteur n'est sans doute pas mécontent par ailleurs d'achever son récit aux portes de l'Orient où se concilient le piquant de l'exotisme, largement exploité dans d'autres contes, et le mythe de la sagesse incarnée par le derviche et le bon vieillard.

La stabilité mais l'ennui

La « petite société » s'installe dans la « petite métairie ». Aux illusions de l'humanisme et de l'errance succède la réalité de la communauté étroite et de l'espace réduit. Le renversement est souligné par l'alternative évoquée par la vieille : « Je voudrais savoir lequel est le pire, ou… ou bien » et la question de Martin, au chapitre 30, se demandant « si l'homme était né pour vivre dans les convulsions de l'inquiétude ou dans la léthargie de l'ennui ». Or les deux solutions sont également contestables. Les grands voyageurs comme les oisifs paresseux sortent également insatisfaits de leur vie. Les tribulations de nos personnages ont débouché sur un constat d'échec. Mais leur sédentarité ouvre à l'ennui. La métairie devient prison et rejoint le faux Éden du château westphalien. L'arrivée de Paquette et de frère Giroflée vient opportunément inviter Candide à chercher une troisième voie.

Les sages orientaux

Les deux philosophes qui accompagnent le héros, Pangloss et Martin, trop enfermés dans leurs visions dogmatiques, sont incapables

d'offrir des modèles de vie satisfaisants. Deux sages orientaux, le derviche puis le bon vieillard, vont les relayer pour y parvenir. Le premier conseille de s'écarter de la métaphysique et des questions abstraites, préférant le silence aux récriminations stériles :

> Que faut-il donc faire ? dit Pangloss. – Te taire, dit le derviche.

Les incohérences du monde n'ont pas à être expliquées ; ce n'est pas là lâcheté, mais simple bon sens… En attendant mieux. Et ce mieux vient du vieillard turc qui, plus positivement, donne l'exemple d'une sagesse pratique : se tenir à l'écart des affaires publiques, se replier sur la sphère privée de la vie familiale et s'en remettre aux enrichissements du travail, valeur ultime qui console du malheur et donne la prospérité :

> Je n'ai que vingt arpents, répondit le Turc ; je les cultive avec mes enfants ; le travail éloigne de nous trois grands maux : l'ennui, le vice et le besoin.

La clé du bonheur ?

Le dernier paragraphe délivre de façon allégorique la leçon du conte. Cette leçon, d'abord, est celle d'un entre-deux, ce qui autorise à parler de « médiocrité » si l'on rend au mot son sens étymologique : ce qui est le milieu (du latin *medius*). Entre le bien et le mal, l'optimisme et le pessimisme, l'immobilité et l'agitation, la révolte et la résignation.

La leçon est en même temps celle d'une philosophie de l'action. Seul le travail, dans son humble répétition journalière, permet d'échapper aux désillusions du monde et aux malheurs de la vie. L'énergie constructive aide à faire fructifier le plus modeste des patrimoines. Au labeur, chacun œuvre selon ses compétences, comme l'illustre la distribution des tâches où même frère Giroflée, pourtant victime de la réputation de parasitisme des moines, trouve son emploi. Dans ce nouvel Éden où aboutit Candide, le travail est donc une récompense, un moyen de salut.

On peut se montrer déçu de ce dernier mot du conte et de cette morale bourgeoise qui vante le repli égoïste sur ses propres intérêts, l'abstention, le silence, la prudence. Surtout si l'on songe au modèle de combativité et d'engagement que nous a offert Voltaire dans son existence. C'est que cette conclusion ne peut être comprise que si on la rattache à l'ensemble du conte. Le jardin n'est que la réponse réaliste, raisonnable et un peu désabusée aux élaborations chimériques de philosophes obstinés. Candide, en quête de certitudes, a compris que les inepties prétentieuses de son ancien maître devaient être remplacées par une confrontation modeste et personnelle au réel. Et si de la sorte il n'a pas réellement conquis la sagesse, il a au moins progressé dans la voie de la lucidité et du réalisme. Le bonheur sera pour demain.

à vous...

1 – D'un ermite à l'autre
Lisez dans *Zadig* le chapitre 18 intitulé « L'ermite » (La bibliothèque Gallimard, p. 161-169). Comparez-le avec l'épisode de la rencontre avec le derviche et le vieillard turc au chapitre 30.

2 – La métaphore du vaisseau
« Quand sa Hautesse envoie un vaisseau en Égypte, s'embarrasse-t-elle si les souris qui sont dans le vaisseau sont à leur aise ou non ? »
– Quel est le sens de cette métaphore ?
– Imaginez sur le même modèle d'autres métaphores qui traduisent la même idée.
– Inventez une fable dont cette formule serait la morale. Vous pouvez la rédiger en prose ou en vers.

3 – La « petite société » et ses caractéristiques

Dans la métairie sont réunis huit personnages du conte : Candide, Cunégonde, Pangloss, Martin, Cacambo, la vieille, Paquette, Giroflée. Chacun doit recevoir *trois attributs*. Voici une série de mots ou expressions qui vous serviront à identifier ces personnages : prostituée, débrouillard, tout-langue, fesse, esprit le plus simple, pâtissière, Leibniz, manichéen, potelé, Italie, Amsterdam, petite brune, Cadix, éperviers, menuisier, vérole, borgne, entremetteuse, jardin, soixante et douze quartiers, théatin, appétissante, métis, bon Westphalien.

Bilans

Résumé

Chapitre 1 – Dans un château de Westphalie (Allemagne), propriété du baron désargenté Thunder-ten-tronckh, vit un jeune homme innocent et crédule nommé Candide qui est épris de Cunégonde, la fille du baron. Mais le mariage est impossible car Candide n'est pas noble. Le jeune homme est chassé du château et tente de se consoler avec les leçons de son maître, le philosophe Pangloss, qui enseigne que tout est bien dans le monde.

Chapitres 2 à 4 – Candide est enrôlé malgré lui dans l'armée bulgare et participe, sans comprendre, à une bataille meurtrière. Il s'enfuit, passe en Hollande où il est recueilli par Jacques l'anabaptiste. Pangloss, retrouvé par hasard, raconte à son disciple la destruction du château et la mort de Cunégonde. Lui-même est défiguré à la suite d'une vérole contractée avec la servante Paquette.

Chapitres 5 et 6 – Candide et Pangloss s'embarquent vers le Portugal à la suite de Jacques. En chemin ils essuient une terrible tempête où le bon anabaptiste est noyé. Arrivés en rade de Lisbonne, ils assistent au tremblement de terre qui détruit la ville et cause des milliers de victimes. Pangloss – qui continue de raisonner sur l'enchaînement des effets et des causes – et Candide sont arrêtés par les autorités religieuses. Le premier est pendu, le deuxième flagellé. Ce qui n'empêche pas la terre de trembler à nouveau.

Chapitres 7 à 10 – Après son châtiment, Candide est recueilli et

L'esprit de l'*Encyclopédie* de Diderot : une tentative d'exhaustivité, l'alliance de l'art et des techniques.

soigné par une vieille qui le conduit près de… Cunégonde, miraculeusement réchappée de la tuerie. Mais la jeune fille a été vendue à don Issachar, un juif qui la partage avec le grand Inquisiteur. Pour libérer sa promise, Candide tue successivement ses deux rivaux. Les amoureux et la vieille s'enfuient à Cadix puis s'embarquent pour l'Amérique du Sud.

Chapitres 11 et 12 – Pendant la traversée, la vieille raconte son histoire, composée de malheurs de toutes sortes. Cette fille de pape a été violée, mutilée puis vendue comme servante.

Chapitres 13 à 16 – Arrivés à Buenos Aires, les jeunes gens sont séparés par le gouverneur qui convoite Cunégonde. Aidé par un providentiel valet, le débrouillard Cacambo, Candide s'enfuit au Paraguay où il découvre une communauté gouvernée par les missionnaires jésuites de manière autoritaire et inique. Le supérieur n'est autre que le frère de Cunégonde qui, toujours prisonnier de ses prétentions nobiliaires, refuse de donner sa sœur à Candide. Celui-ci le tue d'un coup d'épée. Accompagné de Cacambo, le héros arrive dans la tribu des Oreillons où se pratiquent des accouplements avec des singes et du cannibalisme. Il faut fuir à nouveau.

Chapitres 17 et 18 – Après un voyage difficile, les deux hommes trouvent, au-delà d'une montagne, un territoire paradisiaque fait d'harmonie, de luxe et d'opulence : c'est l'Eldorado où les hommes semblent vivre heureux. Mais cette perfection ne convient pas à Candide. Il accepte des cadeaux d'or et de pierreries et continue sa route à la recherche de Cunégonde.

Chapitres 19 à 21 – En Guyane hollandaise, les voyageurs rencontrent un nègre amputé de ses membres : c'est le traitement infligé par les Blancs contre les esclaves qui ont tenté de fuir. Les deux amis amorcent leur retour vers l'Europe. Le voyage est encore mouvementé et leur fortune est volée. Les réflexions de Martin, philosophe pessimiste recruté à Surinam, les consolent de la méchanceté des hommes illustrée par un combat naval.

Chapitres 22 et 23 – Après les conversations de voyage, on arrive à Paris où Candide est dupé par une intrigante aristocratique et son complice, un abbé périgourdin. À l'approche des côtes anglaises, il assiste à l'exécution d'un amiral accusé d'avoir failli à son commandement.

Chapitres 24 à 26 – Candide et Martin sont à Venise où ils espèrent retrouver Cunégonde. C'est Paquette, devenue prostituée, qui les reconnaît et fait le récit de sa vie qu'elle partage maintenant avec Giroflée, un moine théatin. Les héros rendent visite à Pococuranté, riche seigneur cultivé revenu de tous les plaisirs de la vie. Ils soupent le soir avec six rois détrônés qui se lamentent sur leur gloire perdue.

Chapitres 27 à 29 – Ayant appris que Cunégonde se trouve à Constantinople, Candide s'embarque sur une galère où il retrouve, enchaînés comme forçats, Pangloss qui a survécu à la pendaison et le baron jésuite que l'épée n'a pas tué. Candide les rachète, écoute leur récit et, arrivé en Propontide, retrouve sa fiancée affreusement enlaidie.

Chapitre 30 – Candide veut malgré tout épouser Cunégonde et, comme le baron s'y oppose toujours, décide de le renvoyer. Il achète une métairie où s'installe la « petite société » – qui n'y trouve que l'ennui. Jusqu'à la consultation d'un derviche et d'un vieillard turc qui leur enseignent le secret du bonheur : il faut cultiver notre jardin.

Les lignes de construction

Le conte apparemment désordonné et d'allure plutôt lâche est cependant rigoureusement construit au moyen de trois figures structurantes :

L'accumulation aux dépens de la vraisemblance

Les épisodes s'enchaînent les uns après les autres, sans toujours grande logique ni nécessité sinon celle de faire rebondir l'action autour de formes nouvelles du mal. Les changements de lieu sont également arbitraires, de même que les personnages rencontrés, convoqués, pour la plupart, en fonction des besoins de la démonstration. Quant à la durée, elle est floue, sans repères réels, les événements authentiques introduits dans le récit n'étant pas toujours chronologiquement contemporains. Nous sommes dans un conte, et Voltaire ne se soucie pas du réalisme.

L'écho comme motif

La façon d'assurer l'unité du conte est d'utiliser, à quelques chapitres de distance, des figures ou des motifs qui se répètent ou se répondent. Le narrateur exploite ainsi les ressources de l'opposition et du contraste : les personnages méchants et les bons, le bien contre le mal, Pangloss et Martin, l'immobilité face au mouvement, l'est et l'ouest, etc. Et plus simplement celles de la répétition : doubles retrouvailles de Pangloss et de Cunégonde, double mort (fausse) du baron, le « paradis » du château et celui d'Eldorado, le derviche et le vieillard turc, etc.

Le relais

Un fil conducteur guide le récit, la quête de la femme aimée et, au-delà, la recherche de l'amour et du bonheur. Les tribulations du héros dans le monde se déroulent en fonction de cette poursuite respectant un itinéraire balisé par la présence ou le souvenir de Cunégonde. De même, l'enchâssement des récits secondaires (de Cunégonde, de la vieille, de Pangloss, etc.), procédé emprunté aux romans à la mode, permet de répéter, comme en abyme*, les épisodes de l'histoire centrale, assurant de la sorte une cohérence narrative.

Courir le monde

Le conte voltairien aime à se développer sur une trame de voyage. *Candide* reprend cette recette éprouvée et en tire des effets importants puisque le héros, forme de picaro* germanique, ne réussit son initiation qu'au moyen de l'expérience acquise au cours de ses déplacements géographiques. On peut découvrir, sur une carte, l'itinéraire exact de Candide.

Voltaire nous conduit donc à travers le monde, mais sans se soucier, là non plus, de réalisme puisque les lieux ne sont pas décrits, les distances sont abolies, les particularismes gommés. Les déplacements occupent vingt-huit chapitres sur les trente que compte le récit. Quatre chapitres se déroulent en mer ce qui contribue au mouvement de la narration. Le périple se fait d'abord vers l'ouest, lieu des rêves et des mythes, puis vers l'est pour le retour à la réalité. Après la perte de l'Éden westphalien, la progression se fait vers le paradis retrouvé mais faux de l'Eldorado, puis vers le « paradis dérisoire » de Constantinople. À la différence de Zadig, Candide ne revient pas à son point de départ.

Les lieux choisis pour cette pérégrination sont porteurs d'un message négatif, contenant chacun un exemple des malheurs du monde : la guerre (Allemagne), l'intolérance (Hollande), les catastrophes naturelles (Lisbonne), l'oppression religieuse (Buenos Aires et Paraguay), l'anthropophagie (les Oreillons), l'illusion (Eldorado), l'esclavage (Surinam), la vanité et l'hypocrisie (Paris), l'orgueil nationaliste (l'Angleterre), la prostitution et l'ennui (Venise). Même à Constantinople, où la vie semble plus douce, le régime politique est instable et violent. Ce conte de l'errance semble condamner les mirages du voyage.

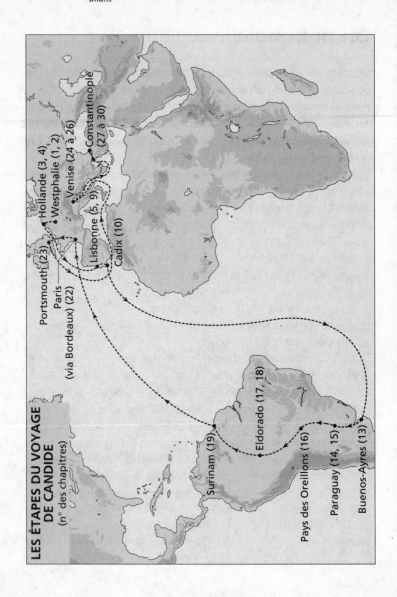

LES ÉTAPES DU VOYAGE
DE CANDIDE
(n° des chapitres)

Portsmouth (23)
Paris
(via Bordeaux) (22)
Hollande (3, 4)
Westphalie (1, 2)
Venise (24 à 26)
Constantinople
(27 à 30)
Lisbonne (5, 9)
Cadix (10)

Surinam (19)
Eldorado (17, 18)
Pays des Oreillons (16)
Paraguay (14, 15)
Buenos-Ayres (13)

Les acteurs de la comédie

On a beaucoup dit que Voltaire ne se soucie pas de peindre des personnages psychologiquement vraisemblables. Il est vrai que le conteur aime à styliser ses créatures, les réduisant soit à des silhouettes approximatives, soit à des types littéraires comme le valet rusé (Cacambo), l'entremetteuse (la vieille), le sage (le vieillard turc) ou le moine libertin (Giroflée).

Il est de toute façon difficile d'accorder la brièveté du conte et sa valeur polémique à une peinture nuancée des caractères. Les personnages sont là pour faire sourire par leurs ridicules ou leurs excès, et servir ainsi la thèse philosophique. Quand le besoin d'introduire une idée exige la création d'un personnage, Voltaire sort du chapeau un nouvel acteur, qui disparaîtra une fois sa mission remplie. La galerie de personnages est donc abondante ; en s'en tenant à ceux qui jouent un rôle actif, nous arrivons à trente-six que nous présentons dans un index.

Abares : Peuple en guerre contre les Bulgares (chapitres 2 et 3). Les Abares sont des envahisseurs qui ravagèrent l'Europe orientale du VIe au IXe siècle. Ils sont assimilables aux autres conquérants que furent les Vandales, les Goths, les Tartares. Derrière ce choix de fantaisie, peu familier aux lecteurs de Candide, il faut probablement reconnaître les Français engagés contre les Prussiens au cours de la désastreuse guerre de Sept Ans.

Abbé périgourdin : Guide intéressé de Candide à Paris et complice de la prétendue marquise de Parolignac (chapitre 22). Il attire Candide dans un guet-apens en lui faisant croire que Cunégonde est à Paris.

Achmet III : Un des six étrangers du souper de Venise (chapitre 26). Il succéda à son frère Mustapha comme Grand Sultan de Tur-

quie en 1703. Une révolution le renversa en 1730 et il mourut à Constantinople en 1736.

Amiral anglais : Victime anonyme d'une exécution dans la rade de Portsmouth (chapitre 23). La scène reproduit la fusillade de l'amiral John Byng exécuté sur son vaisseau à Portsmouth le 14 mars 1757. Il lui était reproché de ne pas avoir montré suffisamment de zèle patriotique dans le combat naval qui l'opposa à La Galissonnière dans les eaux de Minorque en mai 1755. Voltaire avait pris le parti de cet officier injustement accusé.

Auguste III : Roi des Polaques. Un autre des convives du dîner de Venise (chapitre 26). Ce fils de Frédéric-Auguste de Saxe fut électeur de Saxe et roi de Pologne contre Stanislas Leczinski en 1733. Il fut chassé de ses États en 1756, pendant la guerre de Sept Ans, et se réfugia en Pologne. Sa fille, Marie-Josèphe, seconde femme du dauphin Louis, fut la mère de Louis XVI.

Bulgares : Armée en guerre contre les Abares dans laquelle est enrôlé Candide. Ce peuple conquérant (sans rapport avec les habitants de l'actuelle Bulgarie) était établi sur les bords de la mer Caspienne et de la mer Noire. Ils semblent ici désigner les Prussiens dont ils ont l'habit bleu.

Cacambo : Valet de Candide, amené de Cadix (chapitre 14). Cacambo suivra et aidera son maître en Amérique du Sud (chapitres 15 à 19); puis il sera chargé de retrouver Cunégonde qu'il devra amener à Venise où il reparaîtra au chapitre 26. Cacambo semble l'héritier du « picaro* » traditionnel (Lazarillo, Guzman, Gil Blas). Sa débrouillardise aidera plus d'une fois Candide.

Candide : Héros éponyme* du roman. Ce nom peu westphalien est en fait un simple prénom qui correspond à un saint fêté le 16 janvier. Voltaire choisit ce patronyme en fonction du caractère de son héros qui a « le jugement assez droit avec l'esprit le plus simple ».

Charles-Édouard : Autre roi détrôné qui participe au souper de

Venise (chapitre 26). Ce petit-fils de Jacques II Stuart (1720-1788) qui bénéficiait en France d'une grande sympathie, tenta en 1745 de reconquérir le trône d'Angleterre. Mais s'il fut reconnu par la majeure partie de l'Écosse, il ne put gagner la cause de l'ensemble de l'île.

Croust : Nom du supérieur jésuite qui aide à la guérison du jeune baron Thunder-ten-tronckh et lui fait prendre « l'habit de novice » (chapitre 15).

Cunégonde : Fille du baron de Thunder-ten-tronckh, « maîtresse de Candide ». Elle a dix-sept ans au début du roman, « haute en couleur, fraîche, grasse, appétissante ». Candide la perd dès le premier chapitre, la retrouve au chapitre 7, la reperd au chapitre 13 et ne la retrouvera, vieillie et laide, qu'à l'avant-dernier chapitre. Les deux héros ne seront ensemble que pendant dix chapitres, soit à peine le tiers du livre.

Derviche : Religieux musulman ayant fait vœu de pauvreté. Candide en rencontre un très fameux à la fin du roman (chapitre 30). Ce « meilleur philosophe de la Turquie » indique dans un style métaphorique* la voie à suivre pour trouver le bonheur : refuser les interrogations métaphysiques, se méfier du langage, se soumettre à la Providence*.

Fernando d'Ibarra, y Figueora, y Mascarenes, y Lampourdos, y Souza (don) : Gouverneur de Buenos Aires qui souhaiterait épouser Cunégonde (chapitre 13). Le nom du personnage est évidemment caricatural et doit traduire la morgue et la fierté des Espagnols.

Giroflée (frère) : Moine théatin de Venise, ami de Paquette dont il partage le nom champêtre et les faveurs. Il apparaît au chapitre 24 puis rejoint (comment ?) Candide et sa compagnie sur les bords de la Propontide pour partager la vie de la métairie (chapitre 30).

Inquisiteur (grand) : Chef suprême de l'Inquisition, c'est-à-dire de l'organisme judiciaire de l'Église chargé de chasser les hérésies.

Celui du Portugal (comme celui de l'Espagne) était particulièrement zélé et sévère, notamment au moment de la Réforme. Au XVIII^e siècle, l'Inquisition avait largement modéré sa répression ; elle fut abolie en 1820 au Portugal. Au chapitre 6, le grand Inquisiteur organise un autodafé contre Candide, Pangloss, deux Portugais et un Biscayen. Candide le tue au chapitre 9.

Issachar (ou Issacar, don) : Juif portugais qui achète Cunégonde au capitaine bulgare (chapitre 8). Ce riche propriétaire, banquier de cour, est tué « roide mort sur le carreau » par Candide au chapitre 9.

Ivan VI : Une des six têtes couronnées du dîner de Venise (chapitre 26). Ivan VI fut proclamé tsar le jour de sa naissance, mais, dès l'année suivante (1741), il était remplacé sur le trône de Russie par la fille de Pierre le Grand, Élisabeth. Il mena une vie d'exil et fut assassiné alors qu'il était en prison (1764).

Jacques (l'anabaptiste) : Personnage rencontré par les héros au chapitre 3 en Hollande et qui disparaît brutalement par noyade devant Lisbonne deux chapitres plus tard. C'est un négociant honnête et serviable qui vend des tissus de Perse fabriqués en Hollande, qui soigne Pangloss et qui périt en essayant de sauver un matelot sans scrupule.

Jardinier turc : Autre sage rencontré aux alentours de Constantinople (chapitre 30). Sa philosophie se combine à celle du derviche pour définir l'idéal de travail, de simplicité et d'abstention.

Martin : Compagnon choisi par Candide au chapitre 19 et qui l'accompagnera jusqu'à la fin du roman. Manichéen pessimiste qui constitue le symétrique de Pangloss.

Matelot de Batavia : Personnage rencontré par Candide et Pangloss en rade de Lisbonne qui provoque la mort du bon Jacques quand celui-ci tentait de le sauver (chapitre 5).

Nègre de Surinam : Indigène de couleur que rencontre Candide en Guyane hollandaise (chapitre 19). Il est amputé de la jambe

gauche et de la main droite à la suite d'un accident du travail et d'une tentative de fuite. Son maître est le cupide Vanderdentur.

Orateur hollandais : Prédicateur sectaire qui refuse d'aider Candide au chapitre 3. Lui et sa femme raisonnent sur l'Antéchrist et font preuve d'une intolérance rare pour ce pays.

Oreillons : Peuplade primitive aux mœurs bizarres qui capture Candide et Cacambo au chapitre 14. Ils épargneront le Westphalien car Cacambo saura leur montrer qu'il n'est pas jésuite. Le nom d'Oreillons, qui ne pouvait que plaire à Voltaire, vient de l'Espagnol *orejón*, terme utilisé par les conquistadores espagnols pour désigner la déformation de leurs oreilles décorées et alourdies de divers ornements.

Pangloss : Précepteur de la famille Thunder-ten-tronckh qui enseigne la « métaphysico-théologo-cosmolonigologie ». Disciple de Leibniz, de Wolf et de Pope, il professe un optimisme béat largement démenti par les faits. Après l'avoir quitté, Candide le retrouve vérolé, borgne et mutilé (chapitre 6). Deux chapitres plus tard, il est pendu par l'Inquisition du Portugal, mais réapparaît, sur la fin du roman, ressuscité en forçat sur une galère turque (chapitre 27). Toujours confiant en la Providence, il restera lié à la compagnie pour travailler à la métairie.

Paquette : Femme de chambre de la baronne Thunder-ten-tronckh. Elle est soumise par Pangloss à quelques séances de « physique expérimentale » (chapitre 1) au cours desquelles l'illustre savant contractera la vérole. Paquette reparaît au chapitre 24 à Venise où elle est devenue prostituée et compagne de frère Giroflée. Elle rejoint Candide et sa troupe à la fin du roman pour vivre à la métairie.

Parolignac (marquise de) : Tenancière intrigante rencontrée à Paris (chapitre 22) qui séduit et dépouille Candide avec la complicité de l'abbé périgourdin. Elle dirige un tripot où l'on joue surtout au pharaon.

Pococuranté : Sénateur vénitien (chapitres 24 et 25) qui se caractérise par son détachement généralisé et sa liberté de jugement. Le nom *pococurante* se traduit de l'italien : « qui a peu de souci » ou « qui se soucie de peu ».

Ralph : Auteur supposé du conte *Candide*. Le nom de Ralph fut porté par un obscur poète anglais qui a mené, en 1728, une polémique* avec le philosophe Pope.

Roi d'Eldorado : Majesté débonnaire qu'on salue par un baiser sur les deux joues et qui comble de faveurs Candide et Cacambo, ses hôtes (chapitre 18). Bien qu'il les désapprouve, il aide les deux voyageurs à quitter Eldorado au moyen de machines compliquées.

Stanislas Leczinski : Un autre des convives du souper de Venise (chapitre 26). Par discrétion, Voltaire le nomme seulement « roi des Polaques ». Il fut roi de Pologne en titre entre 1704 et 1714 grâce à Charles XII de Suède et de 1733 à 1736 à la mort d'Auguste II. Il est entre-temps devenu le beau-père de Louis XV (1725) qui l'installera à la tête de la cour de Lorraine. Esprit ouvert et éclairé il y accueillit, entre autres, l'auteur de *Candide*.

Théodore (roi des Corses) : Le sixième des souverains en exil à Venise (chapitre 26). Théodore, baron de Neuhoff, mena une vie aventureuse, il secourut les Corses contre Gènes et fut proclamé roi, mais dut s'enfuir après quelques mois. Emprisonné pour dettes en Hollande et en Angleterre, il y mourut peu après sa libération (1690-1756).

Thunder-ten-tronckh : Nom générique de la famille parmi laquelle vit Candide en Westphalie, et composée du baron (oncle probable du jeune héros) et de son épouse « la meilleure des baronnes possibles ». Candide est chassé de chez cette famille considérée comme un « paradis terrestre » pour avoir osé prétendre épouser Cunégonde. Le château est ravagé par les troupes bulgares, le baron ainsi que son épouse sont tués. Le fils que l'on croyait également mort réapparaît au chapitre 14 et joue un rôle important

dans le roman. Il est devenu jésuite au Paraguay et après avoir retrouvé, avec beaucoup d'émotion, Candide, son frère de lait, il s'oppose, par vanité héréditaire, à tout projet de mariage avec Cunégonde. Candide le transperce de son épée, mais le jeune baron ressuscite une nouvelle fois pour être retrouvé ramant avec Pangloss, son ancien précepteur, sur une galère turque (chapitre 27). Toujours entiché de ses quartiers de noblesse, il est éliminé par la compagnie au moment de la fondation de la métairie du Propontide. Il est mis dans un bateau en partance pour Rome (chapitre 29).

Vanderdentur : « Fameux négociant » hollandais rencontré à Surinam (chapitre19). C'est lui qui a mutilé sauvagement son esclave nègre. Il possède un « gros vaisseau » sur lequel veut s'embarquer Candide pour rentrer en Europe ; le naïf Westphalien est escroqué par l'habile marchand qui lui vole son bien et met la voile sans lui.

Vieillard : Patriarche d'Eldorado qui reçoit Candide et Cacambo (chapitre 18) et leur explique les usages de son merveilleux pays. Ce « bon et respectable sage » reprend un type littéraire qu'affectionne tout particulièrement Voltaire ; le derviche et le jardinier turc en fournissent une autre image, de même que le sage ermite dans *Zadig*.

Vieille (la) : Personnage sans nom qui aborde Candide après l'autodafé de Lisbonne, le soigne et lui fait retrouver Cunégonde (chapitres 5 et 6). Elle s'attachera à la jeune fille, disparaît avec elle de l'action au chapitre 13 et se retrouve à la fin du roman pour participer à la fondation de la métairie (chapitre 29). Son histoire personnelle nous est racontée pendant la traversée d'Europe en Amérique aux chapitres 11 et 12. Une surprenante particularité anatomique (elle n'a qu'une fesse) constitue son trait le plus marquant. Nous savons aussi qu'elle est d'origine italienne, fille du pape imaginaire Urbain X et de la princesse Palestrine. Elle assume souvent la fonction d'entremetteuse, traditionnelle pour les romans du temps.

Dans cette longue liste, outre Candide, présent dans l'intégralité des trente chapitres, cinq personnages occupent une place importante : Martin, présent dans douze chapitres, la vieille et Cacambo (onze), Cunégonde (dix), Pangloss (sept). La distribution des rôles essentiels est là. Le nom des personnages participe de leur caractère, puisque le fier Espagnol a un patronyme à rallonge (don Fernando d'Iba-raa…), le moine au teint fleuri porte un nom bucolique (Giroflée), le Vénitien blasé est défini par « Pococuranté » – sans parler des personnages principaux, Candide et Pangloss. Voltaire sait tirer partie de la fantaisie onomastique*.

Il faudrait enfin, pour conclure sur les personnages, revenir sur Candide lui-même, mieux traité que les autres, qui prend de l'épaisseur au fil des pages, évolue, se construit une identité et une sensibilité. Ses nouvelles qualités de jugement lui permettent de trouver la solution et la formule finales. Auprès de lui, Martin, la vieille, Cacambo lui-même échappent parfois au stéréotype. Mais Voltaire ne se préoccupe pas de convaincre son lecteur avec les acteurs de sa comédie ; il préfère l'amuser et, au besoin, le révolter.

La rage d'écrire

Dans une lettre du 27 décembre 1758, Voltaire écrit à une amie : « Quand on a le sang un peu allumé, et qu'on est de loisir, on a la rage d'écrire. » Cette « rage d'écrire » se manifeste par une plume virevoltante, pétillante, pleine d'invention et de verve. Le style de Voltaire est une fête.

Méfiez-vous des contrefaçons

Voltaire aime à utiliser les instruments de la convention pour la contourner et en extraire le ridicule. C'est le propre de la parodie*

qui touche trois traditions littéraires : le romanesque*, le récit picaresque*, le roman d'apprentissage*.

Le premier thème est illustré par l'intrigue amoureuse entre Candide et Cunégonde qui imite, en les caricaturant, les histoires sentimentales où s'accumulent les péripéties fabuleuses, les duels, les sauvetages, les enlèvements, les supplices... L'histoire de la vieille constitue un condensé du genre. Les tribulations de Candide s'apparentent par ailleurs au modèle picaresque, lui-même parodique du roman de chevalerie dans lequel le héros se sort de situations dangereuses et compliquées. Quant à l'apprentissage du jeune homme, il est bien réel, mais s'achève par un couronnement modeste – la métairie – et un mariage sans grandeur – Cunégonde étant bien laide. À quelque niveau que l'on se situe, le conte s'empare de l'illusion romanesque pour la parodier et donc la détruire.

La victoire de l'esprit

Cette entreprise de déconstruction parodique est soutenue par l'arme favorite du philosophe, l'ironie*. Ce procédé, qui consiste le plus souvent à présenter comme agréable une réalité insupportable, contribue à alerter le lecteur et à le rendre complice de la démystification. La monstruosité de la guerre devient ainsi un élégant spectacle : « Rien n'était si beau, si leste, si brillant, si bien ordonné que les deux armées » (chapitre 3) ; le « bel autodafé » est un châtiment barbare (chapitre 6), et Pangloss se déconsidère quand, face à la suite de malheurs, il persiste dans ses dogmes : « Tous les événements sont enchaînés dans le meilleur des mondes possibles » (chapitre 30).

Le rire peut se faire grinçant quand il sert à dénoncer les abus, les excès, la méchanceté. Il peut également se faire plus léger, grivois, malicieux, subtil quand il se contente de servir joyeusement la satire*. L'effet est le même : nous entraîner dans le combat contre

le scandale du mal. Le moraliste se garde bien de théoriser ou de sermonner, il laisse cette tâche à un Pangloss. Pour nous aider à réfléchir, Voltaire se sert simplement de son esprit.

Attention chef-d'œuvre !

La reconnaissance des lecteurs

Dès sa parution – anonyme, rappelons-le –, *Candide* connaît un retentissant succès mesurable aux nombreuses traductions, éditions, imitations et aux gesticulations de la censure. L'attaque contre les Jésuites, la satire* de la Providence*, la condamnation de l'esclavage dérangent l'ordre social. Mais les lecteurs reconnaissent dans le conte un généreux appel vers plus de justice, de liberté, de bonheur. Faut-il acheter *L'Encyclopédie* demandait le fils de Lord Chesterfield à son père : « Vous l'achèterez répondait le notable anglais, et vous vous assiérez dessus pour lire *Candide*. » Prédiction vérifiée par la notoriété du conte qui a éclipsé, et c'est parfois dommage, les autres écrits de l'auteur pour traverser les siècles sans rien perdre de sa force et de son charme.

Un message universel

Si la leçon de *Candide* s'est imposée universellement, c'est qu'elle est simple, « bête comme la vie », disait Flaubert. Le monde est agité par les manifestations du mal. Celui qui vient des hommes – le fanatisme, l'oppression, la guerre… – et celui qui vient de la nature – les maladies, les catastrophes, les instincts sauvages… Il est absurde de nier cette réalité, il est vain de vouloir la combattre. Pour survivre dans cet univers de désordre, il convient d'abandonner les rêves puérils et les philosophies creuses au profit d'une règle de vie modeste et lucide. Le génie de Voltaire est d'avoir pu nous délivrer ce message dans une histoire courte, souvent désinvolte, remarqua-

blement rythmée, d'une extrême drôlerie et qui procure à chaque page un plaisir renouvelé. Quand une pensée profonde parvient à se mouler dans un petit bijou littéraire on est en droit de parler de chef-d'œuvre.

Annexes

De vous à nous

Arrêt sur lecture 1 (p. 33)

1 – Les titres doubles

Les autres contes de Voltaire au titre double sont au nombre de quatre :
Zadig ou la Destinée (1746) ; *Memnon ou la Sagesse humaine* (1749) ; *Le Dimanche ou les Filles de Minée* (1775) ; *Histoire de Jenni ou le Sage et l'Athée.* (1775).

Notons que, sur une quarantaine de contes, le nombre de titres doubles est assez réduit, bien qu'il concerne deux des contes les plus célèbres, *Zadig* et *Candide*. La forme est, à trois reprises, quasi identique : un nom de personnage puis une qualité morale. Pour l'*Histoire de Jenni*, le modèle est un peu différent puisque deux autres personnages (dénommés par des qualités) apparaissent. Enfin la formule est originale pour *Le Dimanche*.

2 – Les titres en forme de noms propres

Manon Lescaut (abbé Prévost) ; *Quentin Durward* (Walter Scott) ; *Lucien Leuwen* (Stendhal) ; *Oliver Twist* (Charles Dickens) ; *David Copperfield* (Charles Dickens) ; *Eugénie Grandet* (Honoré de Balzac) ; *Lucrèce Borgia* (Victor Hugo) ; *Thérèse Raquin* (Émile Zola) ; *Fermina Marquez* (Valery Larbaud) ; *Thérèse Desqueyroux* (François Mauriac).

3 – « Sordide ou le Pessimisme »

Pour cette parodie* n'hésitez pas à exagérer dans le sens de la noirceur ; soyez précis dans les détails pour donner de la vraisemblance, reprenez les formules de présentation de Voltaire. Par exemple : « Il y avait en Anatolie, dans la tanière d'un vieux brigand, un affreux personnage à qui la nature avait donné l'instinct du mal. Il était dépourvu de toute morale avec l'esprit le plus méchant ; c'est je crois pour cette raison qu'on le nommait Sordide. La troupe de brigands soupçonnait qu'il était le fils de la sœur du chef et d'un voleur illettré que cette femme ne voulut jamais épouser car elle le trouvait trop honnête… » Puis description de la tanière du vieux brigand

appelé Hirsute, de son épouse, description de Barbaross le doyen des brigands, particulièrement bavard, enfin de Mademoiselle Trèsimonde que convoite Sordide…

Arrêt sur lecture 2 (p. 80)

1 – La critique du fanatisme religieux dans le chapitre 6

Le titre :

Son ironie vient de l'alliance de mots (bel autodafé), de la fausse logique de l'enchaînement des causes et des conséquences (pour empêcher), de la généralisation (les tremblements de terre).

Deux parties dans le titre : le nom de Candide doit apparaître et l'action être relancée ; à noter la forme passive : fut fessé pour exprimer la soumission du héros aux événements.

Rapport causes et conséquences :

Extrême certitude dans les causes : « n'avaient pas trouvé un moyen plus efficace » ; « il était décidé » ; « secret infaillible » ; « en conséquence ». Et inefficacité de ces mesures attestée par le résultat immédiat : « Le même jour, la terre trembla de nouveau. »

Effets ironiques :

– Décalage entre la cruauté des faits et la délicatesse de l'expression : « bel auto-da-fé » ; « spectacle de quelques personnes… » ; « en grande cérémonie » ; « sermon très pathétique » ; « belle musique » ; « fessé en cadence »…

– L'antiphrase : « les sages du pays » ; « des appartements d'une extrême fraîcheur, dans lesquels on n'était jamais incommodé du soleil ».

– Les raccourcis : « épousé sa commère » ; « mangé du lard ».

– Les contradictions : « pendu quoique ce ne soit pas la coutume » ; « le même jour, la terre trembla ».

2 – Le débat sur la Providence

Les formules de confiance : « C'était une chose indispensable dans le meilleur des mondes, un ingrédient nécessaire » (chap. 4) ; « Pangloss lui expliqua comment tout était on ne peut mieux » (chap. 4) ; « Plus il y a de malheurs particuliers, et plus tout est bien » (chap. 4) ; « Car, dit-il, tout ceci est ce qu'il y a de mieux […] ; car tout est bien » (chap. 5) ; « Tout ce qui arrivait dans le château de mon père était une chose d'usage » (chap. 8) ; « Je louai Dieu qui vous ramenait à moi par tant d'épreuves » (chap. 8).

Dans le « Poème sur le désastre de Lisbonne » : relever en particulier les vers 3, 9, 19 et 201.

3 – L'histoire de la vieille

La phrase-résumé : «Figurez-vous quelle situation pour la fille d'un pape, âgée de quinze ans, qui en trois mois de temps avait éprouvé la pauvreté, l'esclavage, avait été violée presque tous les jours, avait vu sa mère coupée en quatre, avait essuyé la famine et la guerre, et mourait pestiférée dans Alger.» Hormis la mort brutale du fiancé, tout y est. En revanche d'autres malheurs qui surviendront plus tard peuvent être rajoutés comme la fesse coupée ou les coups de fouet du boyard.

Utilité du récit : elle est triple. D'abord occuper le temps de la traversée, ainsi que nous le dit la narratrice : «[...] et s'il n'était d'usage, dans un vaisseau, de conter des histoires pour se désennuyer» ; puis, imiter les ouvrages romanesques et la pratique des récits intercalés qui enrichissent la trame narrative ; enfin redoubler les malheurs des héros, et notamment de Cunégonde, en répétant des événements similaires dans un effet de «mise en abyme*».

4 – Le récit du matelot de Batavia

Il faudra se rappeler que ce personnage est brutal, qu'il ne respecte rien et profite du tremblement de terre pour piller et s'enivrer. Il faudra montrer son opportunisme, sa méchanceté en l'imaginant au départ de Rotterdam, puis pendant la traversée et dans d'autres voyages.

Arrêt sur lecture 3 (p. 170)

1 – Les trois nouveaux personnages

Cacambo : 1. Métis dont un quart d'Espagnol ; 2. Jeune ; 3. Valet, après avoir fait cent métiers ; 4. ? ; 5. Débrouillard, rusé, fidèle ; 6. Aime la nouveauté ; 7. Ne croit pas au bénéfice des voyages ; 8. Parle toutes les langues ; 9. «Si nous ne trouvons pas de choses agréables, nous trouverons du moins des choses nouvelles» (chap. 17).

Martin : 1. Hollandais ; 2. A travaillé dix ans dans les librairies d'Amsterdam ; 3. Savant, philosophe ; 4. ? ; 5. Lucide ; 6. Pessimiste, manichéen ; 7. N'est étonné de rien ; 8. Aime à raisonner ; 9. «J'ai tant vu de choses extraordinaires qu'il n'y a plus rien d'extraordinaire» (chap. 20).

Paquette : 1. Allemande ; 2. Jeune ; 3. Femme de chambre de la baronne ; prostituée ; 4. «petite brune très jolie et très éveillée» ; 5. Innocente, sait broder ; 6. Transmet à Pangloss un mal ravageur ; 7. Connaît le sort de toutes les femmes du conte ; 8. A commencé la «physique expérimentale»

avec Pangloss; 9. « Je suis une des plus malheureuses créatures du monde »
(chap. 24).

2 – Lectures d'autres œuvres

– Ressemblances avec d'autres contes : des situations assez semblables peuvent se retrouver. Par exemple, dans *Le Monde comme il va*, Babouc se rend à une fête publique et donne de l'argent à une actrice qui attend un enfant ; dans *Memnon,* le héros est séduit par une femme qui l'invite à s'installer sur son sofa ; dans *La Princesse de Babylone* nous avons également une scène galante avec une chanteuse, un souper et le cadeau de diamants.

3 – Paris : un anti-Eldorado

Eldorado : mépris de l'argent, modestie, sincérité, religion sans clergé, égalité d'humeur, régularité architecturale, tolérance, pacifisme, etc.

Paris : cupidité, malhonnêteté, goût du paraître, mensonge, querelles religieuses, corruption, jalousie, médisance, etc.

4 – Écrire une utopie

Un certain nombre de motifs sont attendus : le décor de l'île, le logement, le travail, les loisirs, les rites de l'amour, le vêtement… Le principe de l'utopie est d'imaginer l'inverse de la réalité.

Arrêt sur lecture 4 (p. 194)

1 – D'un ermite à l'autre

Dans *Zadig*, l'épisode de l'ermite est beaucoup plus long et détaillé. L'ermite, de plus, agit, et prodigue sa leçon par l'exemple, par opposition au derviche et au vieillard qui se contentent de donner des avis. Dans les deux cas, en revanche, le héros va chercher à découvrir le secret de la vie auprès du sage toujours oriental, âgé, pourvu d'une barbe et imposant le respect. Ces sages parlent par métaphore*, et semblent posséder un savoir inné quant aux décisions de la Providence*. Ils réclament enfin de leur consultant une grande humilité : « Cesse de disputer contre ce qu'il faut adorer », conclut l'ermite du premier conte. Dans *Candide* est demandé le même refus du débat inutile et, en outre, le recours au travail consolateur.

2 – La métaphore du vaisseau

– Deux niveaux de signification : Sa Hautesse : le grand sultan de Turquie ; Dieu. Les souris : les voyageurs anonymes ; l'humanité. Le vaisseau : un navire véritable ; le monde.

– Par exemple : Quand le cultivateur passe sa charrue il ne se soucie pas de

trier les herbes soulevées. Imaginez des situations de nombre : quand le chef d'orchestre… ; quand le professeur… ; quand le général…, etc.
– Titre de la fable : « Le sultan et les souris » Et les premiers vers :

> *Un sultan de Turquie pour prouver sa puissance*
> *Affréta un vaisseau qui partit de Byzance*
> *Pour aller en Égypte apporter des trésors*
> *Amassés dans les soutes au prix de maints efforts…*

3 – La petite société

Candide : esprit le plus simple, bon Westphalien, jardin.
Cunégonde : soixante et douze quartiers, appétissante, pâtissière.
Pangloss : Leibniz, tout-langue, borgne.
Martin : Amsterdam, manichéen, éperviers.
Cacambo : Cadix, débrouillard, métis.
La vieille : Italie, fesse, entremetteuse.
Paquette : petite brune, vérole, prostituée.
Giroflée : théatin, potelé, menuisier.

Glossaire

Antiphrase : figure de style relevant de l'ironie*, qui consiste à dire l'inverse de ce que l'on veut faire comprendre ; « un bel auto-da-fé » (chap. 6) est une expression ironique car elle doit être comprise à l'opposé.
Conte philosophique : récit imaginaire assez court qui se fixe comme intention de véhiculer un message moral ou philosophique. L'exemple vient souvent de l'Orient.
Épilogue : conclusion, dernière partie d'un ouvrage littéraire, d'un poème, d'un roman ou d'un conte.
Éponyme : dont le nom se confond avec le titre : Candide est le héros éponyme du conte qui porte le même titre.
Incipit : première phrase et, par extension, première page d'une œuvre littéraire.
Ironie : procédé qui consiste à se moquer d'un personnage ou d'une situation par des voies détournées, notamment en feignant de les juger avec sérieux. L'antiphrase* en est une des meilleures expressions.
Lumières : terme qui sert à désigner le XVIIIe siècle, époque où les philo-

sophes et les écrivains s'appliquent à répandre le savoir, à «éclairer» les esprits en militant en faveur du droit à la liberté et au bonheur.

Lyrique : se dit d'une poésie faite de confidence personnelle et d'émotion et, d'une façon générale, d'un mode d'expression fondé sur la sensibilité.

Métaphore : formule imagée qui permet de dire une chose par des voies détournées.

Métaphysique : partie de la philosophie qui s'intéresse aux questions de l'au-delà, de la vie après la mort, de l'existence de Dieu.

Mise en abyme : procédé qui consiste à présenter un tableau à l'intérieur d'un tableau, du théâtre à l'intérieur du théâtre, un récit à l'intérieur du récit. Comme dans *Candide* l'histoire de la vieille ou celle de Paquette qui reprennent ou annoncent celle de Cunégonde.

Onomastique : qui concerne les noms propres. Voltaire exploite le *jeu onomastique* en prêtant à ses personnages des noms significatifs.

Oxymore : figure de style qui consiste à associer des mots de signification opposée : «boucherie héroïque» (chap. 3) constitue un oxymore.

Pamphlet : écrit court et satirique* qui souhaite s'attaquer à un personnage ou à une institution politique ou religieuse. Le ton du pamphlet est délibérément polémique*.

Paratexte : les divers éléments qui précèdent et entourent le texte littéraire (le titre, le sous-titre, la préface, la dédicace, etc.)

Parodie : manière d'imiter une œuvre, un ton, un style, une pensée pour les tourner en ridicule. *Candide* est une parodie du roman d'aventures ou du roman sentimental.

Pathos : volonté de créer de l'émotion par un ton exagérément larmoyant.

Picaresque : le «picaro» est un jeune homme pauvre et naïf jeté dans la périlleuse aventure de la vie, transporté dans divers lieux, soumis à de multiples épreuves. Il parvient à se tirer d'affaire grâce à de la chance et à quelques friponneries. Le modèle vient d'Espagne et a donné naissance à un genre de roman, le «roman picaresque».

Polémique : bataille, débat exprimé par des voies littéraires. Le mot peut être adjectif pour désigner un ton particulièrement agressif.

Providence : force supérieure, parfois confondue avec Dieu, qui décide des événements de la vie des hommes. Ses décisions sont incompréhensibles pour l'homme, mais théoriquement favorables. Le tremblement de terre de Lisbonne est pourtant l'effet de la Providence. La croyance aveugle en la Providence s'appelle le «providentialisme».

Roman d'apprentissage : type de roman qui nous raconte la formation du

jeune héros à travers diverses épreuves. Le roman s'achève quand le jeune homme est parvenu à trouver la recette de la réussite sentimentale, professionnelle ou personnelle.

Romanesque : (adjectif ou nom) qui relève d'une tradition artificielle propre aux romans sentimentaux ou d'aventures.

Satire : représentation moqueuse d'une institution, d'une doctrine, d'un caractère, d'un vice.

Utopie : construction imaginaire qui tente de bâtir un univers conforme à un idéal de perfection. Parfois les utopies, pour assurer le bonheur des hommes, deviennent très contraignantes.

Bibliographie

Voltaire, *Romans et contes,* éd. F. Deloffre et J. Van den Heuvel, Gallimard, Bibliothèque de la Pléiade, 1979.

Voltaire, *Romans et contes en vers et en prose*, Livre de poche, « La pochotèque ».

Voltaire, *Candide ou l'Optimisme*, édition critique de René Pomeau, Nizet, 1989.

Jean Goldzink, *Voltaire - Portraits littéraires*, Hachette, 1994.

Jean-Marie Goulemot, André Magnan et Didier Masseau, *Inventaire Voltaire*, Gallimard, « Quarto », 1995.

Christiane Mervaud, *Voltaire*, Bordas, « En toutes lettres », 1991.

René Pomeau, *Voltaire par lui-même*, Seuil, 1955.

Jean Sareil, *Essai sur Candide*, Genève, Droz, 1967.

TABLE DES MATIÈRES

Dans la même collection

Lycée – En perspective

Pour plus d'informations :
http://www.gallimard.fr
ou
La bibliothèque Gallimard
5, rue Sébastien-Bottin – 75328 Paris cedex 07

Cet ouvrage a été composé
et mis en pages par In Folio à Paris,
achevé d'imprimer par Novoprint
en mars 2008
Imprimé en Espagne.

Dépôt légal: mars 2008
1er dépôt légal : mai 2000
ISBN 978-2-07-041375-1